CONTOS DE FADAS

ANDERSEN

CamelotEditora

CONTOS DE FADAS
ANDERSEN

Camelot
EDITORA

CONHEÇA NOSSO LIVROS
ACESSANDO AQUI!

Copyright desta tradução © IBC - Instituto Brasileiro De Cultura, 2023

Título original: History and Fairy Tales
Reservados todos os direitos desta tradução e produção, pela lei 9.610 de 19.2.1998.

2ª Impressão 2024

Presidente: Paulo Roberto Houch
MTB 0083982/SP

Coordenação Editorial: Priscilla Sipans
Coordenação de Arte: Rubens Martim
Diagramação: Renato Darim Parisotto
Apoio de revisão: Lilian Rozati
Tradução: Eugênio Amado

Vendas: Tel.: (11) 3393-7727 (comercial2@editoraonline.com.br)

Foi feito o depósito legal.
Impresso na China

	Dados Internacionais de Catalogação na Publicação (CIP) de acordo com ISBD	
A544c	Andersen, Hans Christian Contos de Fadas Andersen / Hans Christian Andersen. - Barueri : Camelot Editora, 2023. 144 p. ; 15,1cm x 23cm. ISBN: 978-65-87817-76-7 1. Literatura infantojuvenil. 2. Contos de Fadas. I. Título.	
2023-1125	CDD 028.5 CDU 82-93	
	Elaborado por Vagner Rodolfo da Silva - CRB-8/9410	

IBC — Instituto Brasileiro de Cultura LTDA
CNPJ 04.207.648/0001-94
Avenida Juruá, 762 — Alphaville Industrial
CEP. 06455-010 — Barueri/SP
www.editoraonline.com.br

SUMÁRIO

A PEQUENA SEREIA...7

O PATINHO FEIO..28

O SOLDADINHO DE CHUMBO...38

A ROUPA NOVA DO REI..43

A POLEGARZINHA...48

OS SAPATINHOS VERMELHOS..58

A PRINCESA E O GRÃO DE ERVILHA..................................65

A FILHA DO REI DO PÂNTANO..66

O PINHEIRINHO..101

A COLINA DOS ELFOS..110

A VELHA CASA..118

O TRIGO-SARRACENO...126

O ROUXINOL...129

UMA FOLHA CAÍDA DO CÉU...140

A Pequena Sereia

Longe, longe da terra, em alto-mar, onde as águas são azuis como as pétalas da centáurea e transparentes como vidro, lá onde as âncoras dos navios não conseguem chegar ao fundo, vive o povo do mar. Tão profunda é essa parte do oceano, que seria preciso empilhar várias torres de igreja para que finalmente uma delas apontasse na superfície.

Mas não vão pensar que no fundo do mar só existe areia branquinha. Não: ali crescem plantas estranhíssimas; suas hastes e folhas são tão leves e delgadas, que o menor movimento da água faz com que elas se agitem de um lado para o outro, como se fossem dotadas de vida. Peixes grandes e pequenos deslizam entre os ramos, como fazem os pássaros da terra, voando através dos galhos das árvores. No lugar mais profundo, foi onde o Rei do Mar construiu seu castelo, de paredes de coral e janelas de âmbar. O telhado é feito de conchas de ostras, que ficam abrindo e fechando o tempo todo. A cada vez que se abrem, pode-se ver, em cada uma dessas conchas, uma pérola leitosa e brilhante, digna de estar engastada na coroa da rainha mais vaidosa.

O Rei do Mar havia ficado viúvo muitos anos atrás. Quem cuidava da casa era sua velha mãe, mulher muito inteligente, mas por demais orgulhosa de seu sangue real: ostentava doze ostras na cauda de seu manto, enquanto que as outras nobres só podiam usar seis. Por outro lado, era uma avó excelente, que cuidava com grande desvelo de suas netas, as gentis princesinhas do mar. Eram seis sereiazinhas encantadoras, cada qual mais bonita que a outra. A mais bela de todas, porém, era a caçula, que tinha a pele fina como uma pétala de rosa e os olhos azuis como as águas de um lago profundo. Só que ela não era humana: era uma sereia; em vez de pernas e pés, tinha uma cauda de peixe na extremidade de seu corpo.

As jovens sereias gostavam de passar o dia brincando no grande salão do castelo, cujas paredes eram revestidas de flores vivas. As grandes janelas de âmbar ficavam constantemente abertas, de modo que os peixes ali entravam e saíam, como o fazem as andorinhas em nossas casas aqui da terra, quando encontram as janelas abertas. A diferença é que os peixes não são desconfiados como os passarinhos; eles entravam pela janela e, com toda tranquilidade, nadavam até onde estavam as princesinhas, para comer em suas mãos e deixar que elas lhes fizessem carinho.

    Ao redor do castelo estendia-se um grande parque, onde cresciam árvores vermelhas e azuis. Seus frutos pareciam feitos de ouro; suas flores brilhavam como chamas; seus galhos e folhas não paravam de mover-se. O chão era de areia, mas sua cor não era branca, e sim azulada, lembrando a do fogo que se produz quando se queima enxofre. Azulada, aliás, era a tonalidade de tudo o que havia no fundo do mar. Era como se a gente estivesse no meio do céu, tendo o azul por cima da cabeça e por baixo dos pés. Quando as águas ficavam paradas, o sol aparecia como se fosse uma flor encarnada, da qual se derramava a luz.

    Cada princesinha tinha seu pedaço particular de jardim, e ali plantava o que bem entendia. Uma delas cercou seu canteiro com pedras, dando-lhe o formato de uma baleia; outra preferiu organizar o seu como uma silhueta de sereia. O da caçulinha era todo redondo, pois ela quis dar-lhe uma aparência que lembrasse o sol. Ali plantou flores vermelhas e brilhantes, que dizia serem os "filhotes do sol". Ela era uma criança estranha, quieta e pensativa. Enquanto suas irmãs enfeitavam seus canteiros com diversos objetos recolhidos de navios naufragados, ela colocou no meio do seu apenas a estátua de um rapaz. Era uma estátua de mármore branco, quase transparente. Devia estar sendo transportada para alguma ilha, quando o navio que a levava foi a pique. Ao lado da estátua, plantou uma árvore cor-de-rosa parecida com um salgueiro-chorão, pois seus ramos dobravam-se no alto, descendo até o chão, como se a copa e as raízes estivessem querendo beijar-se.

    Para as princesinhas não havia coisa melhor que escutar sua avó contando as histórias do mundo lá de cima, habitado pelos homens. Quantas vezes ela teve de repetir pacientemente tudo o que sabia a respeito de navios, cidades, pessoas e animais terrestres! A sereiazinha mais nova achava particularmente interessante e maravilhoso que as flores "lá de cima" tivessem perfume, diferentemente das flores que cresciam no fundo do mar. Gostava também de escutar a descrição das florestas verdes e dos passarinhos, "peixes que voavam", admirando-se quando a avó dizia que eles sabiam cantar maravilhosamente. E como ela nunca havia visto uma ave, achava que os passarinhos tinham o mesmo formato dos peixes que conhecia.

    — Quando você fizer quinze anos, poderá nadar à superfície — prometia a avó. — Ali você poderá sentar-se sobre um rochedo e contemplar os grandes navios que deslizam sobre a água. E, se tiver coragem, poderá nadar até próximo do litoral, de onde enxergará ao longe as cidades e as florestas da terra.

No ano seguinte, sua irmã mais velha iria completar quinze anos. De uma sereiazinha para outra, a diferença de idade era mais ou menos de um ano; assim, só daí a cinco anos a caçula teria permissão de subir à superfície e contemplar as maravilhas de que tanto gostava de ouvir falar. Cada sereia combinava com as outras que, quando chegasse sua vez de subir à tona, ela voltaria depois do primeiro dia, a fim de contar para todas o que havia visto, e descrever as maravilhas que mais a haviam encantado. E todas ansiavam para que seu dia chegasse, pois os relatos da avó já não eram suficientes para aplacar sua curiosidade.

De todas, porém, aquela que mais ansiava por subir à superfície era a mais nova, justamente a que teria de esperar mais tempo, até completar quinze anos! Muitas noites passou a sereiazinha quieta e pensativa postada junto à janela, olhando para cima através da água azul-escura, onde os peixes nadavam. Dali podia ver a lua e as estrelas, enxergando-as mais pálidas do que se apresentam aos nossos olhos, porém muito maiores. De vez em quando, uma grande sombra deslizava lá em cima, ocultando o céu, como se fosse uma nuvem: podia ser uma baleia, ou então um navio, com tripulação e passageiros. Talvez algum deles estivesse olhando para o mar naquele momento, mas nem de longe poderia imaginar que lá embaixo estaria uma linda sereiazinha, piscando seus belos olhos azuis e estendendo as mãos pálidas em direção ao casco daquele navio.

Finalmente, a irmã mais velha completou quinze anos e teve permissão para nadar à superfície. Quando regressou, tinha centenas de coisas para contar. De todas as experiências que teve, a mais encantadora foi descansar sobre um banco de areia, num momento em que o mar estava calmo e a lua brilhava no céu, e dali contemplar uma grande cidade, que se estendia junto ao litoral. As luzes das casas e das ruas cintilavam como estrelas; podia-se ouvir o barulho das carruagens e o rumor das vozes dos homens; o mais interessante de tudo, entretanto, era o som da música. Ela havia visto as torres das igrejas e escutado o badalar dos sinos. Como gostaria de poder chegar até lá! Infelizmente, isso seria impossível para uma sereia.

Sua irmãzinha mais nova escutava fascinada o que a outra dizia, podendo lembrar-se, depois, de cada uma de suas palavras. Tarde da noite, lá ficou ela junto à janela aberta, olhando para cima e imaginando como seria a cidade e como soariam os sinos que tanto haviam impressionado a irmã mais velha.

No ano seguinte, chegou a vez da segunda de suas irmãs. Sua cabeça aflorou à superfície no instante em que o sol se punha, e essa visão foi a que maior encanto lhe provocou. De tão bonita, era difícil de descrever. O céu havia ficado cor de ouro, e as nuvens que flutuavam sobre ela pareciam de púrpura, de tão vermelhas! Um bando de cisnes passara voando ali perto, destacando-se contra o céu como se fosse um véu de maravilhosa brancura. Ela se pôs a nadar na direção do sol, mas ele desapareceu no horizonte, levando consigo as cores das nuvens, do mar e do céu.

No ano seguinte, chegou a vez de sua terceira irmã. Esta era a mais corajosa de todas. Chegando à superfície, avistou a embocadura de um grande rio, e resolveu nadar por ele acima. Ali ela havia visto colinas verdejantes, revestidas de uma densa floresta, em meio à qual despontavam, aqui e ali, vinhedos, castelos e plantações. O tempo todo escutara o cantar dos pássaros, exceto quando mergulhava mais fundo, para se refrescar do sol escaldante. Numa curva onde o rio se espraiava, viu algumas crianças, brincando de espadanar água umas nas outras. Ela também quis entrar na brincadeira, mas as crianças fugiram assustadas, quando a viram. Foi aí que apareceu um animal estranhíssimo, andando sobre quatro patas e gritando "au! au! au!" para ela. Foi tal o pavor da sereiazinha, que ela voltou às pressas para o mar. O que ela jamais esqueceria, enquanto vivesse, era a floresta majestosa, as colinas verdejantes e as maravilhosas crianças que, embora não tivessem rabo de peixe, mesmo assim pareciam saber nadar muito bem.

A quarta irmã era tímida. Com receio de aproximar-se do litoral, deixou-se ficar no alto-mar. Mas que lugar maravilhoso! Podia-se ver ao longe para todos os lados que se olhasse, e o céu, lá no alto, parecia feito de um vidro azul e transparente. Os navios passavam ao longe, parecendo não serem maiores do que as gaivotas. Vira golfinhos alegres, fazendo piruetas no mar, e enormes baleias, esguichando água como se fossem repuxos vivos.

Foi em pleno inverno que a quinta sereia completou quinze anos. Nenhuma de suas irmãs havia subido à tona naquela época do ano. Só ela viu o oceano com a coloração verde-acinzentada, pontilhado de "icebergs" enormes, flutuando ao seu redor. Cada um parecia uma pérola gigantesca, tão grande quanto as torres de igreja que os seres humanos construíam. Tinham as formas mais fantásticas, e reluziam como se fossem diamantes. Ela escalou um deles, o maior que encontrou, e sentou-se no seu topo, deixando que o vento lhe agitasse os longos cabelos sedosos. Os navios mantiveram-se à distância, receando aproximar-se daquele gigantesco bloco de gelo. Ao entardecer, formou-se uma tempestade. O vento rugia furiosamente, e o céu se cobriu de nuvens escuras e ameaçadoras. Relâmpagos iluminavam o firmamento e trovões roncavam sem cessar. O "iceberg" subia e descia, carregado pelas ondas revoltas. Ao clarão dos relâmpagos, o gelo parecia ter-se tornado vermelho. Os navios recolheram as velas, e o terror se espalhou entre os tripulantes e passageiros. Enquanto isso, a sereia continuava sentada tranquilamente em sua montanha de gelo flutuante, contemplando os raios que cruzavam o céu em zigue-zague.

Quando da primeira permissão de subir à superfície, cada uma das irmãs havia ficado deslumbrada com tudo o que vira e deliciada com a liberdade que passara a ter. Aos poucos, porém, cada qual foi perdendo o interesse naquilo tudo e sentindo saudade de sua vidinha tranquila de antigamente. Assim, depois de um ou dois meses, regressavam para o castelo do pai, único lugar onde realmente se sentiam em casa, todas concordando que ali era o lugar mais bonito que conheciam.

Mesmo assim, às vezes, quando anoitecia, as cinco irmãs costumavam dar-se as mãos e subir à tona. Suas vozes eram extremamente maravilhosas, mais doces que a de qualquer ser humano. Quando o ar se tornava tempestuoso, ameaçando os navios de naufrágio, elas ficavam nadando à frente das embarcações, cantando as maravilhas do fundo do mar e convidando os marinheiros a virem visitá-las. Mas os homens não entendiam que aquele som maravilhoso era o de suas canções; pensavam que era o assovio furioso da ventania. Além disso, nunca poderiam deliciar-se com a visão do maravilhoso mundo submarino, pois, quando o navio naufragava e os homens se afogavam, já chegavam mortos ao castelo do Rei dos Mares.

Nessas noites em que as cinco sereias nadavam de mãos dadas à tona do oceano, a irmãzinha caçula ficava lá embaixo sozinha. Ela as acompanhava com os olhos, tristemente, sentindo vontade de chorar, mas sem saber como, pois as sereias não derramam lágrimas, e isso aumentava mais seu sofrimento.

"Ah, se eu já tivesse quinze anos", lamentava-se a princesinha. "Sei que vou amar o mundo lá de cima e os seres humanos que ali vivem!"

Por fim, ela também completou quinze anos!

— Agora, você já tem a liberdade de ir e vir — disse-lhe a velha rainha-mãe.

— Vou arrumá-la, assim como fiz com suas irmãs.

A avó colocou-lhe na cabeça uma grinalda de lírios brancos. As pétalas eram formadas por pérolas cortadas ao meio. Em seguida, prendeu-lhe na cauda oito ostras, de maneira que todos vissem que se tratava de uma princesa legítima.

— Isso dói — queixou-se a sereiazinha.

— A nobreza de sangue exige algum sofrimento — replicou a avó.

A pequena sereia teria trocado prazerosamente sua grinalda de pérolas, pesada e desconfortável, por uma só flor vermelha de seu jardim. De fato, toda a vida, ela preferira enfeites mais simples e discretos, mas naquele momento teve de se submeter às exigências da cerimônia.

— Adeus — despediu-se a sereiazinha de todos, subindo para a superfície, leve como uma bolha.

Quando pôs sua cabeça fora da água, o sol acabava de desaparecer atrás da linha dourada do horizonte. As nuvens ainda estavam cor-de-rosa, e no céu pálido surgiu, brilhante e bela, a estrela vespertina. O ar estava tépido, e o mar, calmo. Ela avistou ali perto um navio de três mastros. Apenas uma das velas estava aberta, pendendo imóvel no ar parado. Os marinheiros estavam sentados juntos à verga, voltados para o convés, de onde vinham sons de música. Quando escureceu de todo, acenderam-se centenas de pequenas lâmpadas coloridas. Era como se todas as bandeiras do mundo ali estivessem desfraldadas. A pequena sereia nadou até perto de uma escotilha e, aproveitando o balanço das ondas, espiava para dentro do salão, cada vez que seu corpo se erguia. O lugar estava cheio de gente vestida com roupas elegantes e esportivas. Quem mais chamava a atenção era um jovem príncipe de grandes olhos negros. Aparentava ter dezesseis anos, e de fato aquele era o dia em que se comemorava o seu décimo sexto aniversário. Aquela reunião era uma festa em sua homenagem. Os marinheiros dançavam no convés, e quando o jovem príncipe veio cumprimentá-los, centenas de foguetes foram disparados, enchendo o céu de riscos de fogo.

A noite ficou brilhante como o dia, causando tamanho susto na pequena sereia, que ela logo mergulhou. Quando novamente pôs a cabeça fora da água, ficou deslumbrada: era como se todas as estrelas do céu estivessem caindo sobre o mar. Fogos de artifício eram inteiramente desconhecidos para ela. Rodas de fogo giravam no ar, foguetes explodiam, e seu clarão se refletia no espelho escuro do mar. O convés estava tão iluminado que se podia ver claramente cada corda que ali havia. Oh, e como era formoso o jovem príncipe! Para todos, ele tinha uma palavra, um sorriso, um aperto de mão. Enquanto isso, a música soava na noite serena.

Foi ficando tarde, mas a pequena sereia não conseguia tirar os olhos do navio e do simpático príncipe. As lâmpadas coloridas foram se apagando. Cessaram os clarões e os estampidos dos foguetes. Agora só se escutava o ruído soturno das profundezas do mar. A sereiazinha continuava flutuando sobre as águas como se estivesse numa cadeira de balanço, continuando a ver o salão a cada subida das ondas. O navio começou a deslizar, navegando cada vez mais depressa, à medida que as velas iam sendo desfraldadas. As ondas começaram a engrossar.

Nuvens escuras surgiram no horizonte. Ao longe, relâmpagos reluziam. Era o prenúncio de um temporal.

Os marinheiros recolheram as velas. Ondas enormes começaram a jogar o navio para cá e para lá, erguendo-se como montanhas negras e ameaçadoras. A embarcação corria o risco de despedaçar-se e naufragar. O grande mastro vergava-se parecendo que a qualquer momento iria se quebrar. Mas o navio, como um cisne, flutuava sobre as ondas, subindo e descendo sem parar. A princesinha divertia-se a valer com aquela cena, mas não os marinheiros, que corriam como baratas tontas pelo tombadilho. A embarcação estalava e rangia, e as grossas pranchas pareciam arquear-se ante as investidas das ondas. Súbito, o mastro rachou como um caniço, e a metade partida caiu no mar. O navio virou de lado e as águas o invadiram.

Só então a sereiazinha compreendeu toda a extensão do perigo. Ela própria corria risco, pois podia ser atingida pelos destroços. Por um breve instante, a escuridão foi total. Não se enxergava coisa alguma. Foi então que o clarão de um relâmpago iluminou a embarcação que naufragava. Entre os homens apavorados, cada qual procurando salvar-se a si próprio, ela avistou o jovem príncipe. Nesse exato momento, o navio acabava de ir a pique.

De início, aquilo a deixou feliz. "Agora ele virá ter comigo", pensou. Logo em seguida, porém, lembrou-se de que os humanos não podem viver embaixo da água. O príncipe estaria morto quando chegasse ao castelo de seu pai. "Não deixarei que ele morra", disse para si própria, enquanto nadava por entre os destroços, esquecida do perigo que corria. Bastava que um daqueles caibros a atingisse para que ela morresse esmagada.

Por fim, ela o alcançou. Esgotado pelo esforço, o rapaz já não conseguia nadar. Sem forças, fechou os olhos e esperou com resignação a morte que tão próxima se avizinhava. E de fato teria morrido, se a sereiazinha não viesse em seu socorro, segurando-o e mantendo sua cabeça fora da água, enquanto deixava que as ondas os arrastassem para bem longe.

Quando amanheceu, a tempestade cessou. Não se via o menor sinal do navio naufragado. O sol surgiu, brilhante e rubro, fazendo voltar a cor às faces pálidas do príncipe. Mas seus olhos permaneciam fechados. A pequena sereia deu-lhe um beijo na testa e afagou-lhe os cabelos molhados. Vendo-o de perto, achou suas feições parecidas com as da estátua de mármore que enfeitava seu jardim. Beijou-o novamente, implorando aos céus que não o deixassem morrer.

Ao examinar atentamente a imensidão do mar, ela avistou ao longe a terra firme. Montanhas azuis erguiam-se à distância, iluminadas pela luz da manhã, tendo o topo recoberto de neve, alva e resplandecente como plumas de cisne. Ao longo da costa estendia-se uma floresta muito verde, em meio à qual se via o que parecia ser um convento ou uma igreja — ela não sabia distinguir. Laranjeiras e limoeiros cresciam no jardim, e uma alta palmeira assinalava o portão da entrada. O mar formava ali perto uma enseada de águas tranquilas. A sereia nadou na direção da praia, levando o príncipe consigo. Saindo da água, arrastou-o pela areia branca e fina, levando-o até um lugar mais alto, onde o deitou com o rosto voltado para o sol.

Os sinos repicaram no grande edifício branco, e um grupo de meninas saiu da edificação, atravessando o jardim. A pequena sereia entrou no mar e nadou até alcançar uns rochedos que se erguiam ali perto. Cobrindo a cabeça com espuma do mar, para que ninguém a visse, ficou observando o que iria acontecer ao pobre príncipe que acabara de salvar.

Não demorou para que uma das meninas o avistasse. Assustada, ela gritou pedindo ajuda, e logo diversas pessoas correram para onde se encontrava o rapaz. Em pouco tempo, o príncipe abriu os olhos e sorriu para todos os que o rodeavam. Só não sorriu em direção ao mar, onde estava aquela a quem devia a vida. E nem poderia fazê-lo, pois não tinha consciência disso. Mesmo assim, a sereiazinha ficou terrivelmente magoada. As pessoas ajudaram o príncipe a se levantar, ajudando-o a caminhar até o edifício, e ali entrando com ele. Cheia de pesar, ela mergulhou e nadou até o castelo de seu pai.

Ela sempre fora uma criança calada e pensativa. Daí em diante, tornou-se ainda mais silenciosa. As irmãs vieram perguntar-lhe o que tinha visto lá em cima, mas ela não quis responder.

Durante muitos dias, ora ao amanhecer, ora ao pôr do sol, ela nadou até o lugar onde avistara o príncipe pela última vez. Viu os frutos do pomar amadurecerem e serem colhidos, acompanhou o lento derretimento das neves que cobriam as montanhas, mas nunca mais avistou o príncipe. Cada vez que voltava dessas visitas, mostrava-se ainda mais tristonha do que antes. Para consolar-se, ia até seu jardim e abraçava a estátua que se parecia com ele. Já não cuidava mais de suas flores, que passaram a crescer desordenadamente, alastrando-se pelos caminhos, enroscando-se nas árvores e tornando aquele recanto sombrio e desleixado.

Um dia, farta de sofrer calada, contou para uma das irmãs a razão de sua melancolia. Esta logo espalhou o segredo para as outras irmãs e para uma ou duas amigas mais chegadas. Uma destas sabia quem era aquele príncipe e onde era o reino em que ele morava.

— Venha conosco, irmãzinha — chamaram-na.

E, passando a mão em seus ombros, subiram com ela à superfície do oceano. Juntas numa só fileira, nadaram até a costa onde se erguia o palácio do príncipe, construído de pedras amarelas e lustrosas. Uma escadaria de mármore ia do mar até o palácio. Cúpulas douradas erguiam-se acima do telhado. Arcadas de mármore rodeavam toda a construção, guarnecendo estátuas tão bem esculpidas, que até pareciam vivas. Através das vidraças das janelas, avistavam-se os belos aposentos e salões, de cujas paredes pendiam luxuosas cortinas de seda e belos tapetes, exibindo bordados de fino lavor. No salão principal havia uma fonte. A água esguichava para o alto, em direção a uma cúpula de vidro existente no teto, através da qual se filtravam os raios de sol, fazendo cintilar a água do tanque e as flores que cresciam ao seu redor.

Agora que ficara sabendo onde o príncipe morava, a pequena sereia para ali se dirigia quase toda noite, contemplando de longe o esplêndido palácio. Chegava até bem perto da terra, com coragem maior que a de qualquer outra de suas irmãs. Havia ali uma sacada de mármore que projetava sua sombra sobre um canal estreito. Era onde o príncipe às vezes se punha sozinho, contemplando a luz do luar, sem saber que ali embaixo estava escondida uma pequena sereia que o amava apaixonadamente.

Às vezes, o príncipe saía à noite em seu barco luxuoso, acompanhado de alguns músicos. Ela ficava atrás das moitas de junco, espiando-o sem que a pudessem ver. Se alguém porventura divisasse seu véu cor de prata, provavelmente iria pensar que se tratava de um cisne, flutuando na água de asas abertas.

Ela também escutava os pescadores conversando entre si à noite. Se acaso falavam do príncipe, era sempre para comentar sobre a sua bondade e gentileza, e ela ficava feliz por tê-lo salvado da morte no dia em que ele se debatia semimorto entre as ondas furiosas. Lembrava-se de como ele repousara a cabeça em seu colo, e da ternura que sentira ao beijá-lo. Mas ele estivera então desacordado, e sequer imaginava que devia a vida àquela linda sereiazinha.

A cada dia que passava, mais crescia seu amor pelos seres humanos. Seu maior desejo era poder deixar as águas e passar a viver entre eles. O mundo deles parecia-lhe mais vasto e interessante que o seu. Eles podiam navegar através de todos os oceanos, e também escalar as montanhas, chegando até junto das nuvens. Suas terras pareciam extensas e belas, recobertas de campos e de florestas. Sabia que elas se prolongavam muito além de onde sua vista podia alcançar. Muitas coisas queria saber sobre os homens; havia muitas dúvidas a esclarecer. Suas irmãs sabiam muito pouco para poder responder-lhe. Assim, resolveu recorrer de novo à velha avó, que parecia conhecer bastante o "mundo superior", como costumava chamar as terras que ficam acima do nível do mar.

— Os homens só morrem quando têm a infelicidade de se afogar? — perguntou a pequena sereia. — Do contrário, vivem eternamente? Não morrem como nós que vivemos embaixo da água?

— Eles também morrem, minha netinha. Sua vida é até mais curta que a nossa. Enquanto vivemos trezentos anos, eles raramente chegam a cem. Eles enterram seus mortos; nós, não: apenas nos transformamos em espuma do mar. Isso é porque nós não temos uma alma imortal; eles têm. Nossa morte é definitiva. Somos como o junco verde, que, uma vez cortado, nunca mais recupera sua cor. A morte dos homens só atinge seu corpo, já que suas almas continuam a viver por toda a eternidade. Elas sobem para o céu, para além das estrelas. Assim como nós subimos à tona do mar para contemplar o mundo dos homens, eles sobem à tona do céu, para contemplar o mundo desconhecido, que nossos olhos jamais chegarão a ver.

— Por que também não temos uma alma imortal? — queixou-se a pequena sereia. — Eu trocaria meus trezentos anos de vida por um só dia como ser humano, desde que isso me permitisse o acesso à eternidade dos céus!

— Você não deve ficar pensando nessas coisas! — repreendeu-a a avó. — Nossa vida aqui embaixo é muito mais feliz do que a deles lá no mundo superior.

— Então é este o meu destino? Morrer e tornar-me espuma do mar, sem nunca mais escutar a música das ondas, ou admirar as flores e o brilho do sol? Que posso fazer para ter também uma alma imortal?

— Nada! — respondeu a avó. — Isso só viria a acontecer se um homem se apaixonasse por você, amando-a tanto que você se tornaria para ele mais cara que a própria mãe e o próprio pai; tanto que todos os seus pensamentos lhe fossem dedicados; tanto que ele não hesitaria em levá-la à presença de um sacerdote, colocando a mão direita sobre a sua e jurando ser-lhe eternamente fiel. Então, a alma dele entraria em seu corpo, e você também iria partilhar da felicidade humana. Sim, ele poderia conferir-lhe uma alma, sem que para tanto tivesse de perder a dele. Mas isso é impossível de acontecer, pois o adorno mais belo do nosso corpo, ou seja, a cauda de peixe que temos, é considerada feia e monstruosa lá no mundo superior. Eles nada entendem de beleza! O que acham bonito, lá em cima, são duas escoras grosseiras e feiosas, às quais dão o nome de "pernas"...

A pequena sereia suspirou, enquanto fitava tristemente sua cauda de peixe.

— Nada de tristeza por aqui! — completou a rainha-mãe. — Vamos aproveitar os trezentos anos de vida que temos nadando e nos divertindo! É tempo de sobra para se levar uma vida feliz. Hoje à noite vamos dar um grandioso baile aqui no castelo.

E o baile foi de fato grandioso. Na terra, jamais se poderia ver esplendor igual. As paredes e o teto de vidro transparente do salão principal estavam revestidos de conchas gigantes, verdes e rosadas, que se estendiam em longas fileiras. Cada concha tinha dentro uma chama azulada. E como havia mais de quatrocentas, o salão estava todo iluminado, bem como toda a água do mar que o rodeava. Um número incontável de peixes grandes e pequenos nadava encostado às paredes de vidro.

Alguns tinham escama cor de púrpura, enquanto outros eram dourados e prateados. Uma suave corrente atravessava o salão, permitindo que ali dançassem tritões e sereias ao som de lindas canções entoadas por um coral de sereiazinhas muito afinadas. Vozes lindas como aquelas jamais foram escutadas no mundo dos homens. De todas as que cantavam, porém, a de voz mais doce e bela era a nossa pequena sereia. Quando ela terminou uma das canções em que fazia o solo, todos aplaudiram calorosamente, e por um rápido momento ela se sentiu feliz, sabendo que tinha a mais bela voz da terra e do mar.

Mas a satisfação logo passou, e ela voltou a pensar no mundo lá de cima. Não podia esquecer seu belo príncipe, lamentando não ter, como ele, uma alma imortal. Sem que ninguém visse, escapuliu da festa e foi se refugiar em seu pequeno jardim.

Sentando-se ali, logo lhe chegou aos ouvidos o som de uma música distante, abafado por causa da água. Mas não era o das canções do baile, e sim um toque de trombetas, vindo da superfície do mar. "Deve ser ele, navegando aqui em cima", pensou a sereia; "ele, o príncipe a quem amo mais que a meu pai e minha mãe; ele, que não sai de meu pensamento, e em cujas mãos eu de bom grado depositaria todo o meu futuro e a minha esperança de ser feliz. Para conquistá-lo e para obter uma alma imortal, eu teria coragem de fazer qualquer coisa! Enquanto minhas irmãs se divertem lá no baile, vou procurar a Bruxa do Mar, esquecendo o medo que dela tenho, e pedir sua ajuda."

A pequena sereia nadou através de um turbulento redemoinho, rumo ao local onde vivia a Bruxa do Mar. Ela nunca estivera antes naquele trecho do oceano. Ali não havia flores ou algas; apenas um fundo de areia cinzenta, de cujo meio brotava o terrível redemoinho. A água, ali, girava e espumava furiosamente, como se movida por gigantescas pás de moinho, atraindo, sugando e triturando tudo o que passava em sua proximidade. A pequena sereia teve de enfrentar os turbilhões, depois arrastar-se sobre uma extensa planície lodosa, para chegar ao refúgio da Bruxa do Mar, situado em meio a uma estranha floresta de pólipos, metade plantas e metade animais. Eles pareciam serpentes gigantes, com centenas de cabeças, mas tendo os corpos presos ao fundo. Seus galhos eram uma espécie de braços compridos e pegajosos, e seus dedos eram flexíveis como vermes. Cada um de seus membros movia-se constantemente em toda a sua extensão, da raiz à extremidade oposta. Enrolavam-se em tudo o que passasse dentro de seu alcance, num abraço mortal do qual nenhuma presa conseguia escapar. Ao deparar com essa floresta, a pequena sereia estacou, morta de medo. Seu coração disparou, e ela esteve prestes a voltar. Mas, pensando no príncipe e na alma que queria possuir, encheu-se de coragem e resolveu prosseguir.

Para que os pólipos não pudessem agarrá-la pelos longos cabelos, enrolou-os firmemente ao redor da cabeça. Em seguida, juntando as mãos sobre o peito, deslizou velozmente através da água, como se fosse o mais ligeiro dos peixes. Os horrorosos pólipos estendiam seus braços de polvo tentando agarrá-la. Muitos daqueles braços seguravam apertadamente antigas presas que tinham conseguido capturar: esqueletos de homens e animais, cofres, lemes de navio, e até mesmo uma infeliz sereia, que não fora suficientemente ágil para escapar daquele abraço mortal. A visão de seu corpo esmagado e estrangulado aumentou ainda mais seu pavor.

Por fim, alcançou uma enorme clareira de fundo lodoso, no centro da floresta de pólipos. Enguias enormes e achatadas brincavam no lodo, rolando para cá e para lá, e deixando ver suas repelentes barrigas amarelas. Era ali que a Bruxa do Mar havia construído sua casa, toda feita com ossadas de náufragos. Lá estava ela, junto à porta, divertindo-se com um horrendo sapo, deixando que lhe tirasse comida da boca. Chamava esse sapo nojento de "meu canário", e as repelentes enguias de "minhas franguinhas", abraçando-as carinhosamente e apertando-as junto a seu peito esponjoso e muxibento.

Ao ver a princesa, deu uma gargalhada que antes parecia um cacarejo e falou:

— Já sei o que veio pedir, sereiazinha idiota. Vou realizar seu desejo, e com muito prazer, pois sei que ele há de lhe trazer miséria e desgraça. Você quer perder sua linda cauda de peixe, trocando-a por aqueles deselegantes tocos chamados "pernas", para que o príncipe se apaixone por você! Assim, além de conquistá-lo, você irá possuir uma alma imortal! Hi, hi, hi, hi, hi!

Gargalhou tão alto e assustadoramente, que o sapo e as enguias recuaram assustados, caindo de costas no lodo.

— Você chegou na hora certa — continuou. — Se só viesse amanhã, seria tarde demais, e teria de esperar um ano para ter seu desejo atendido. Vou preparar-lhe uma poção mágica. Tome-a amanhã de manhã, antes do nascer do sol, sentada na areia da praia. Sua cauda há de dividir-se e encolher, até se transformar naquilo que os humanos chamam de "belas pernas". Vai doer: será como se uma espada estivesse atravessando seu corpo. Mas quem olhar para você dirá que é a criatura humana mais linda jamais vista. Você caminhará mais graciosamente que qualquer dançarina; entretanto, cada vez que um de seus pés tocar o chão, será como se estivesse pisando no gume de uma faca afiada, produzindo dor e sangramento. Se esse sofrimento não lhe causa temor, estou pronta a realizar seu desejo.

— Pois é isso mesmo o que eu quero — respondeu a pequena sereia, pensando no príncipe e ansiosa por possuir uma alma imortal.

— Mas lembre-se — avisou a bruxa: — uma vez transformada em ser humano, nunca mais você voltará a ser uma sereia! Nunca mais poderá nadar com suas irmãs e visitar o castelo de seu pai! E se não conseguir conquistar o amor do príncipe, a ponto de fazer com que ele, por sua causa, esqueça pai e mãe, tenha todos os pensamentos voltados para você, não hesitando em levá-la até o altar para que se tornem marido e mulher; então, se ele desposar outra mulher, logo na manhã seguinte seu coração há de se desfazer em pedaços, e você terá o fim que toda sereia tem: vai se transformar em espuma do mar!

— Ainda assim, quero tentar — disse a pequena sereia, que se tornara pálida como um cadáver.

— Mas isso não sairá de graça para você — disse a bruxa, sorrindo maldosamente. — Seu capricho vai lhe sair caro. Você tem a voz mais bela do fundo do mar. Suponho que pensa em fazer uso dela para fascinar o príncipe. Pois este é o meu preço: quero sua voz. Vou ter de usar meu sangue para fazer a poção mágica, a fim de que ela se torne mais poderosa que uma espada de dois gumes. Troco meu sangue precioso pela sua voz, que é a coisa mais preciosa que você tem.

— Se eu perder minha voz — replicou a pequena sereia —, que me restará?

— Restará seu belo corpo — respondeu a bruxa —, seu andar gracioso e seus lindos olhos. Use-os para conquistar um coração humano. Então, perdeu a coragem? Ponha sua linguinha para fora e deixe-me cortá-la, em pagamento da poção que irei preparar.

— Pois que seja assim — suspirou a princesinha.

A bruxa pegou o caldeirão em que iria preparar a poção mágica e, amassando uma enguia até dar-lhe a forma de uma esponja, esfregou-a vigorosamente nas bordas e no fundo, enquanto dizia:

— A limpeza é uma virtude.

Depois de pôr o caldeirão no fogo, deu um corte no próprio peito e deixou gotejar lá dentro seu sangue. O vapor que subia formava estranhas figuras, horríveis de se verem. A cada momento ela deitava um novo ingrediente à mistura. Quando a fervura começou, o som produzido lembrava um crocodilo que estivesse chorando. Por fim, o preparo terminou, e a poção havia ficado pura e cristalina como se fosse água.

— Pronto — disse a bruxa, enquanto cortava a língua da pequena sereia, com um golpe rápido e certeiro.

A pobrezinha ficou muda. Nunca mais poderia falar ou cantar.

— Se algum dos pólipos tentar agarrá-la em seu caminho de volta — avisou a bruxa —, basta pingar nele uma gota desta mistura, para que seus braços e dedos se desfaçam em mil pedaços.

Mas a pequena sereia não teve de se preocupar. Vendo que ela trazia nas mãos um vidro cheio daquela poção que brilhava como se fossem estrelas líquidas, recuaram assustados, deixando-a passar em paz. Assim, ela foi transpondo sem problemas a floresta, o brejo e o redemoinho, chegando às proximidades do palácio de seu pai.

No grande salão, as luzes já se tinham apagado. Todos estavam dormindo. A pequena sereia não quis sequer dar uma última olhadela em suas irmãs. Preferiu que elas não soubessem o que acontecera com ela e o que estava pretendendo fazer. Uma tristeza imensa invadiu seu coração. Passando pelo jardim, colheu uma flor do canteiro de cada uma de suas irmãs e, depois de atirar com os dedos mil beijos em direção ao castelo, nadou para cima, através das águas escuras do mar.

O sol ainda não tinha surgido quando ela alcançou o palácio do príncipe e se sentou no primeiro degrau da grande escadaria de mármore. A lua ainda brilhava, iluminando a terra. Então, a pequena sereia tomou do vidro que continha a poção e bebeu-a de um só gole. Sentiu como se uma espada estivesse cortando seu corpo de cima abaixo. Foi tamanha a dor, que ela desmaiou, ficando ali prostrada como se estivesse morta.

Quando os raios de sol tocaram a superfície do mar, ela despertou, sentindo uma dor ardente. Parado à sua frente, o jovem príncipe fitava-a com seus olhos negros como carvão. Ela baixou os olhos, e só então notou que não tinha mais sua antiga cauda de peixe, mas sim um lindo par de pernas esguias, daquelas que toda jovem gostaria de ter. Como estava sem roupas, enrolou-se em seus longos cabelos.

O príncipe perguntou quem era ela e como tinha chegado ali. Sem poder responder, ela limitou-se a fitá-lo, com um olhar meigo e tristonho. Tomando-a pela mão, ele a levou até o castelo. Era como a bruxa havia previsto: cada passo produzia uma dor aguda, como se ela estivesse pisando no gume de uma faca. Mas ela suportou aquilo com prazer, pois estava ao lado do seu querido príncipe. Todos que a viam admiravam-se de seu andar leve e gracioso.

No castelo, vestiram-na com roupas luxuosas, de seda e musselina. Ela era a jovem mais linda que ali já haviam visto; pena que era muda, e não podia falar ou cantar. Belas criadas, vestidas com roupas de seda bordadas de fios de ouro, vinham cantar para o príncipe e para o casal real. Para uma que cantou com voz mais bela que as outras, o príncipe bateu palmas e sorriu. Aquilo deixou a pequena sereia enciumada, pois ela sabia que poderia ter cantado ainda melhor que aquela jovem. "Ele certamente iria me amar", pensou ela, "se soubesse que, para estar ao seu lado, sacrifiquei para sempre minha linda voz!"

As criadas então começaram a dançar. Ao som de uma música suave, elas se moviam graciosamente pelo salão. Nesse instante, a pequena sereia ergueu as mãos acima da cabeça e se pôs nas pontas dos pés, dançando com tal graça e leveza, que parecia estar flutuando. Ninguém jamais dançara tão maravilhosamente como ela! Cada movimento mais realçava seu encanto, e os olhos expressavam seus sentimentos mais eloquentemente que as palavras de uma canção.

Todos ficaram extasiados, especialmente o príncipe, que a chamou de "minha enjeitadinha". E ela dançava sem parar, mesmo sentindo dores lancinantes a cada vez que seus delicados pezinhos tocavam o chão. A sensação era mesmo a de que estava pisando sobre facas cortantes. O príncipe declarou que nunca a deixaria partir, ordenando que daí em diante ela dormisse em frente à porta de seu quarto, numa almofada de veludo.

Chamando as costureiras do palácio, mandou que fossem feitas roupas de montaria para a jovem, pois queria levá-la junto durante suas cavalgadas. E os dois passaram a passear a cavalo todo dia pela floresta perfumada, deixando que os ramos verdes que pendiam das árvores acariciassem seus ombros, e escutando o canto dos pássaros ocultos por entre a folhagem. Chamou-a também para acompanhá-lo em suas excursões pelas altas montanhas. Ela o seguia satisfeita, embora seus pés sangrassem tanto, que as outras pessoas até o notaram. Mas ela não dava importância a isso, sorrindo enquanto seguia seu amado pela montanha acima, ultrapassando o nível das nuvens, que se estendiam abaixo deles, como bandos de aves que estivessem migrando para terras distantes.

À noite, enquanto todos dormiam, ela descia a escadaria de mármore até chegar ao mar, ali deixando refrescar seus pobres pezinhos ardentes na água fria e marulhante. Nesses momentos, punha-se a pensar nas irmãs, e de como estariam àquela hora, em seu castelo situado nas profundezas do oceano.

Numa dessas noites, eis que elas apareceram por ali. De braços dados, surgiram na superfície, entoando uma canção suave e sentida. Ela acenou alegremente, e suas irmãs a reconheceram, chegando até junto de onde ela estava. Ah, como conversaram! As irmãs contaram-lhe da tristeza que ela tinha causado a todos, quando desaparecera de casa, sem dizer para onde iria. Daí em diante, passaram a visitá-la todas as noites. Certa vez, trouxeram consigo a velha avó e seu pai, o Rei dos Mares. Havia muitos anos que eles não subiam à superfície; foi a saudade que os fez chegar até lá em cima. Os dois não quiseram se aproximar de onde ela estava; ficaram de longe, acenando para ela e conversando através de sinais.

A cada dia, mais aumentava o amor do príncipe por ela, mas não era um amor apaixonado, que um homem dedica à mulher amada com a qual pretende se casar, mas sim o amor carinhoso e puro que se dedica a uma criança muito querida. Para conseguir ter sua alma imortal, porém, seria indispensável que ele a tomasse por esposa, e isso nem de longe passava pela cabeça do príncipe. E ela sabia que, se ele desposasse outra mulher, ela iria transformar-se em espuma do mar, logo na manhã seguinte à do seu casamento. Sem poder falar, ela erguia os olhos tristes para ele, como se estivesse dizendo: "Acaso seu amor por mim não é maior do que o que sente por qualquer outra pessoa?" O príncipe parecia adivinhar-lhe o pensamento, pois respondia.

— Sim, querida criança, gosto mais de ti que de qualquer outra pessoa. Entre todas, és tu que tens o melhor coração. E vejo que também me dedicas todo o teu amor. Sabes de uma coisa? Tu te pareces com uma jovem que vi muito tempo atrás, e que provavelmente nunca mais tornarei a ver. Isso foi quando o navio em que eu estava naufragou. As ondas carregaram-me até uma praia. Ali perto havia um templo sagrado, onde serviam várias jovens. Uma delas, a mais nova, foi quem me avistou na praia e salvou minha vida. Vi-a apenas duas vezes, mas é a única deste mundo que eu poderia vir algum dia a amar. Tu és parecida com ela, e quase desfizeste a lembrança que dela tenho em meu coração. Só que não poderei desposá-la, pois ela pertence ao templo sagrado. Foi a boa fortuna que te mandou até aqui. Vendo-te, lembro-me sempre daquela a quem gostaria de amar. Por isso, nunca irei deixar que te separes de mim.

Contos De Andersen

Ela voltou para ele seus olhos, que se entristeceram ainda mais depois daquelas palavras, pensando: "Não, não foi ela quem salvou sua vida — fui eu. Fui eu quem o sustentou à tona do mar encapelado, quem o levou até aquela praia próxima ao templo, quem o arrastou até o lugar onde depois o descobriram. Escondi-me atrás de uma rocha, só indo embora depois que o vi a salvo. Dali pude ver a bela jovem a quem você dedica seu maior amor".

Nesse momento, ela suspirou profundamente, pois não sabia chorar. "Ele disse que aquela jovem pertence ao templo sagrado, de onde nunca haverá de sair. Já está resignado com o fato de que nunca mais poderá encontrá-la. Mas eu estou aqui, estou junto dele, vejo-o todo dia. Hei de cuidar dele, de amá-lo e de dedicar-lhe toda a minha vida."

Correu o boato de que o príncipe estava pensando em casar-se com a filha do soberano de um reino vizinho. Um belo navio estava sendo equipado para levá-lo até lá, a fim de conhecer a bela princesa que ele iria desposar. Para todos os efeitos, aquela seria apenas uma visita de cortesia ao rei vizinho, que era um grande amigo de seu pai. Ouvindo isso, as pessoas sorriam e comentavam: "Não é o rei que ele vai visitar, e sim a princesa, para acertar a data do casamento". Escutando esses comentários, a pequena sereia meneava a cabeça e sorria, pois conhecia os pensamentos do príncipe melhor que qualquer outra pessoa.

— Terei de viajar — disse-lhe ele um dia. — Meus pais querem que eu vá conhecer a bela princesa do reino vizinho. Mas não poderão obrigar-me a trazê-la para cá como minha esposa. Não posso amá-la. Ela não se parece com a jovem do templo. Tu, sim, és parecida com ela. Se eu tiver de casar-me com alguém, já que não posso ter como esposa aquela a quem tanto amo, escolherei a ti, minha enjeitadinha, que só me fala com os olhos!

E, assim dizendo, beijou-lhe os lábios vermelhos, acariciou-lhe os longos cabelos e recostou a cabeça em seus ombros, próximo daquele coração que tanto aspirava alcançar a felicidade e possuir uma alma imortal.

— Tens medo do mar, criança silenciosa? — perguntou-lhe o príncipe, num dia em que visitaram o magnífico navio, prestes a zarpar.

E contou-lhe que o oceano ora está calmo, ora agitado, e falou-lhe sobre os diversos tipos de peixes que vivem em suas águas, e narrou-lhe o que ouvira dos mergulhadores sobre as maravilhas do fundo do mar. Ela ficou sorrindo enquanto ele falava, pois quem poderia conhecer melhor do que ela tudo aquilo?

O navio partiu. Numa noite enluarada, quando todos dormiam, a não ser o timoneiro junto ao leme e o vigia na gávea, ela ficou sentada junto à amurada do navio, fitando as águas do mar. Parecia-lhe ver o palácio do pai. No alto da torre, estava sua velha avó, com a coroa de prata na cabeça, fitando ao longe a quilha do navio. Nisso, suas irmãs surgiram à superfície, olhando-a com ar tristonho e torcendo as mãos desesperadamente. Ela sorriu e acenou para elas. Queria dizer-lhes que estava feliz, mas justamente nesse instante surgiu ali no convés um taifeiro, e as cinco sereias mergulharam, restando apenas uma espuma branca no local onde há pouco estavam.

Na manhã seguinte, o navio entrou no porto da capital do reino vizinho. Todos os sinos repicaram, saudando a chegada do nobre visitante. Do alto das torres, soaram trombetas, e a tropa de soldados postou-se em posição de sentido por onde ele iria passar, desfraldando as bandeiras e ostentando cintilantes baionetas nas pontas de seus fuzis.

Nos dias que se seguiram, houve uma sucessão de solenidades, banquetes e bailes. Só a princesa não comparecia a essas festas. Indagado da razão de sua ausência, o rei explicou que ela estava sendo educada num templo sagrado, longe dali, onde lhe eram ensinadas as virtudes da realeza.

— Mas já enviei emissários para buscá-la — completou o rei. — A qualquer dia destes, ela deverá chegar.

A pequena sereia desejava ardentemente conhecê-la, e ela por fim chegou à capital. Quando a viu, teve de admitir que a princesa era de fato a moça mais bonita que já tinha visto até então. Sua pele era fina e delicada, e, sob seus cílios longos e escuros sorriam dois olhos meigos, de cor azul-escura.

— Já te conheço! — exclamou o príncipe, quando a avistou. — Foste tu que me salvaste da morte, quando as ondas me atiraram semimorto na praia!

A jovem enrubesceu, envergonhada, enquanto ele a estreitava em seus braços, cheio de gratidão.

— Ah, como estou feliz! — disse ele à pequena sereia. — Aconteceu aquilo que eu julgava impossível! Sei que estás tão feliz como eu, pois és, entre todas as pessoas, aquela que me dedica o maior amor!

A pequena sereia beijou-lhe a mão, sentindo o coração desfazer-se em mil pedaços. Restava-lhe apenas esperar que chegasse a manhã que iria seguir-se ao casamento, para transformar-se em espuma do mar.

O noivado dos dois foi anunciado em grande estilo. Os sinos repicaram festivamente, e os arautos percorreram todas as ruas, lendo em voz alta os proclamas do casamento que em breve seria realizado. Chegado o dia, em todos os altares foram acesas lâmpadas de prata, dentro das quais ardiam óleos aromáticos. Os padres agitavam turíbulos contendo incenso perfumado. O príncipe e a princesa deram-se as mãos, e o bispo os abençoou. A pequena sereia, vestida de seda e ouro, segurava a cauda do vestido da noiva, mas seus ouvidos não escutavam a música, nem seus olhos acompanhavam a cerimônia. Só pensava no que iria deixar de ver e ouvir daí por diante, pois aquela seria sua última noite de vida.

O jovem casal embarcou no navio do príncipe, enquanto salvas de canhão reboavam e milhares de bandeiras eram agitadas. No convés principal fora erguida uma tenda dourada e escarlate, sendo o chão forrado de almofadas maciíssimas. Ali o casal passaria sua noite de núpcias.

As velas foram desfraldadas, e uma brisa suave logo as enfunou, fazendo o navio deslizar suavemente sobre as águas transparentes do mar.

Quando a noite chegou, foram acesas lâmpadas coloridas, e os marujos puseram-se a dançar no tombadilho. A pequena sereia não pôde deixar de lembrar-se da primeira vez que subira à tona do mar, quando pudera assistir a uma cena semelhante. Ela também quis participar da dança, fazendo-o com a graça e leveza de uma andorinha que esvoaça no ar. Todos pararam para vê-la e aplaudi-la. Ela jamais dançara tão lindamente. Cortes profundos lanhavam seus pés, mas ela não sentia aquela dor, pois muito maior era a que lhe esmagava o coração. Sabia que era a última noite de sua vida, a última vez em que poderia contemplar aquele por cujo amor sacrificara a própria voz e deixara seu lar e sua família. E dizer que ele sequer suspeitava de seu sacrifício! Nunca mais ela iria poder estar ao seu lado, respirando o mesmo ar, contemplando juntos o mar imenso e o céu infinito, onde brilhavam as estrelas azuis. Uma noite eterna e sem sonhos esperava por ela, que não fora capaz de conseguir a alma que tanto havia desejado.

A festa estendeu-se até a meia-noite. A bordo, todos se confraternizavam numa só alegria. A sereiazinha ria e dançava, sem que ninguém soubesse da angústia que trazia em seu coração. A um sinal do príncipe, porém, cessaram as danças, a música e os ruídos. Ele beijou a noiva, ela lhe afagou os cabelos, e ambos saíram de braços dados, dirigindo-se à tenda magnífica onde iriam passar o resto da noite.

Recolheram-se todos a suas cabines, e um grande silêncio desceu sobre o navio. Ficaram despertos apenas o timoneiro e a pequena sereia. Descansando os braços sobre a amurada, ela ficou contemplando o mar, com os olhos voltados para o Oriente. Sondava o horizonte, aguardando as primeiras luzes róseas da aurora, pronta para morrer quando o primeiro raio de sol atravessasse o céu. Suas irmãs surgiram ao longe no mar. O vento já não podia brincar com seus longos cabelos, pois haviam raspado a cabeça.

— Entregamos nossas cabeleiras à Bruxa do Mar, para que ela lhe concedesse a vida novamente. E ela nos deu esta faca: tome-a e veja como é afiada! Antes que o sol apareça, você deve cravá-la no coração do príncipe. Quando o sangue dele molhar seus pés, eles voltarão a transformar-se numa cauda de peixe, e você voltará a ser uma sereia. E aí viverá de novo entre nós, até completar trezentos anos, quando então morrerá, tornando-se espuma do mar. Depressa! Você tem de matá-lo antes que o sol surja, porque, se isso não acontecer, aí quem vai morrer será você! A vovó está de luto, e seus cabelos até caíram todos, tamanha a sua aflição. Vamos, mate o príncipe e volte para nós. Não perca tempo! Veja o horizonte: já começa a ficar rosado. Daqui a pouco o sol surgirá; aí será seu fim!

Então, com um estranho e profundo suspiro, as cinco irmãs desapareceram sob as águas, deixando-a sozinha. A pequena sereia caminhou até a tenda, ergueu o pano escarlate que fechava a entrada e viu lá dentro a bela princesa ressonando tranquilamente, com a cabeça apoiada sobre o peito do príncipe. Ela se inclinou e beijou-o na testa. Voltando-se para a abertura da tenda, contemplou o céu matinal, que se avermelhava cada vez mais. Depois, olhou de relance para a faca afiada que trazia na mão, e em seguida para o príncipe, no momento em que este mudava de posição, sorrindo e sussurrando o nome de sua jovem esposa. Até durante o sonho, era ela a única em seu pensamento! A mão que apertava o cabo da faca estremeceu, mas ela em seguida voltou até a amurada e atirou a arma no mar. No lugar onde a faca mergulhou, as ondas ficaram vermelhas, como se gotas de sangue se desprendessem da lâmina.

Fitou o príncipe pela última vez e, sentindo que o embaçamento da morte começava a tomar conta de seus olhos, atirou-se ao mar, desfazendo-se aos poucos em espuma.

O sol surgiu no horizonte. Seus raios quentes e suaves despejaram-se sobre a espuma fria que flutuava sobre as ondas. Mas a pequena sereia não estava morta, pois viu o sol e enxergou, flutuando acima dela, centenas de criaturas etéreas e transparentes, que não soube explicar o que seriam. Ela podia ver claramente através daqueles seres: lá estavam as velas do navio e as nuvens rubras como sangue. Suas vozes eram melodiosas, soando tão suave e ternamente, que nenhum ouvido humano poderia escutá-las, enquanto seus corpos eram tão fluidos e frágeis, que nenhum olho humano seria capaz de enxergá-los. Sua leveza era tal, que elas esvoaçavam pelo ar, embora não tivessem asas. Só então a pequena sereia notou que também flutuava no espaço, igual àquelas criaturas de corpo diáfano e transparente.

— Que estou fazendo aqui? Quem são vocês? — perguntou, admirada do som de sua voz, um sussurro tão suave e melodioso que nenhum instrumento musical conseguiria imitar.

— Nós somos as filhas do ar — responderam-lhe. — Éramos sereias, como você. Nós não temos alma imortal, e só poderemos possuir uma se porventura conseguirmos despertar o amor de um ser humano. A possibilidade de alcançarmos a vida eterna depende dos outros. Por meio de boas ações, poderemos um dia possuir nossa alma imortal. Nós voamos para as terras quentes, bafejadas por ares pestilentos, e ali sopramos o vento fresco, que refresca o ambiente. Levamos conosco o perfume das flores, que afasta a tristeza e espalha a alegria entre os homens. Se, durante trezentos anos, nos empenharmos apenas em fazer o bem, obteremos nossa alma imortal e poderemos partilhar da felicidade eterna, junto com os humanos. Foi isso, pequena sereia, que você almejou de todo o seu coração. Esse ideal trouxe-lhe sofrimentos, e você soube suportá-los bravamente. Por isso, agora tornou-se uma de nós, um dos espíritos do ar. Continue praticando boas ações, e dentro de trezentos anos poderá realizar seu desejo, ganhando sua alma imortal.

A pequena sereia ergueu os braços em direção ao sol que Deus lhe permitia enxergar, e pela primeira vez sentiu que uma lágrima aflorava em seus olhos.

Chegaram até ela os ruídos do navio. Observando o convés, viu o príncipe e a princesa procurando aflitos por ela. Os dois fitavam o mar com o coração apertado de dor, adivinhando que ela fora tragada pelas ondas. Sem que a pudessem ver, beijou a princesa na fronte e sorriu para o príncipe. Em seguida, juntando-se às outras criaturas do ar, embarcou numa nuvem rosada que flutuava no espaço.

— Dentro de trezentos anos, espero ser admitida no reino de Deus — disse às novas companheiras.

— Pode ser que isso aconteça até antes desse prazo — sussurrou uma delas. — Sem que ninguém nos possa ver, entramos nas casas dos seres humanos. Eles não sabem que estamos ali. Quando encontramos uma criança boa, que traz alegria a seus pais e faz por merecer todo o seu amor, nós sorrimos para ela, e Deus tira um ano de nosso tempo de provação. Mas se a criança for egoísta e maldosa, então nós choramos; nesse caso, para cada lágrima derramada, Deus acrescenta um dia aos trezentos anos que temos de cumprir como espíritos do ar.

O Patinho Feio

Ah, como é bela a vida do campo! Estávamos no verão. A aveia ainda estava verde, mas o trigo já começava a amarelar. Na campina, as ervas tinham sido cortadas e transformadas em montes de feno, entre as quais passeavam cegonhas, com suas pernas compridas e vermelhas, todas falando a língua do Egito, que era a que lhes tinha sido ensinada por suas mães. Ao redor desses campos erguia-se uma densa floresta, cujas árvores ocultavam charcos e lagoas. Ah, como são belas as paisagens do campo!

Banhado de sol, via-se ao longe o velho castelo, rodeado por um fosso profundo. Entre as pesadas muralhas e o canal, estendia-se uma estreita língua de terra, toda tomada por uma verdadeira floresta de bardanas[1]. Suas folhas eram tão largas e seus talos tão altos, que uma criança poderia esconder-se entre elas, mesmo ficando de pé, imaginando que estivesse no meio de uma densa mata primitiva, isolada do resto do mundo.

Foi ali que uma pata fizera seu ninho. Enquanto chocava os ovos, sentia-se aborrecida por estar ali há tanto tempo, esperando que as cascas se rompessem, numa solidão que dava dó. As outras patas não vinham visitá-la, preferindo nadar nas águas tranquilas do fosso, a vir conversar com ela, naquele lugar sombrio e isolado.

Finalmente, as cascas começaram a rachar. As gemas dos ovos adquiriram vida, transformando-se em patinhos, que aos poucos iam mostrando suas cabeças, piando aflitamente e procurando conhecer quem seria sua mãe.

— Quac! Quac! — saudava-os a pata. — Olhem para o mundo que os rodeia.

E os patinhos obedeciam, contemplando aquele mundo verde e desconhecido. Era o que ela queria, pois a cor verde fazia bem para aqueles olhinhos infantis.

— Nossa! — espantavam-se os patinhos. — Como o mundo é grande!

De fato, o espaço que agora tinham para movimentar-se era bem maior do que o interior de um ovo.

---

1 Planta medicinal originária do continente europeu.

— Pensam que o mundo inteiro é isto aqui? — grasnou a mãe. — Não, ele é muito maior. O mundo estende-se até bem além daquele campo de trigo. Sei disso, embora nunca tenha ido até lá... Ei, já nasceram todos?

A pata ergueu-se e olhou as cascas quebradas que estavam no ninho. Um dos ovos ainda não havia rompido.

— Ai, ai, ai! Ainda falta um... e justamente o maior! Como estou cansada de ficar sentada aqui sem fazer nada... Quanto tempo ainda vai demorar? — lamentou-se, voltando a sentar sobre o ovo.

— Já temos novidades? — perguntou uma velha pata, que havia vindo visitá-la.

— Sim, já temos. Agora só falta um ovo. Mas olhe os filhotes que já nasceram: não são umas gracinhas? São a cara do pai! Aliás, aquele safado ainda não veio fazer-me uma visita...

— Deixe-me dar uma olhada no ovo que não quer rachar. Quem sabe não será ovo de perua? Estou dizendo isso porque certa vez choquei uma ninhada de ovos de perua, pensando que eram meus. Demoraram a romper que só você vendo! E depois que os peruzinhos nasceram, aí é que foi engraçado. Eles morrem de medo de água. Chamei-os para o tanque, e nada! Tentei empurrá-los com o bico, e resistiram. Só então vi que eram peruzinhos... Vamos, deixe-me ver esse ovo. Hum... é isso aí: ovo de perua! Deixe de ser boba, menina, largue esse ovo aí. Vá cuidar de seus próprios filhos, escute o meu conselho.

— Já fiquei chocando este ovo por tanto tempo, que não me custa continuar mais um pouco, pelo menos até que acabem de recolher o feno — respondeu a pata.

— Depois não vá dizer que não avisei, hein? — disse a velha pata, indo-se embora.

Por fim, o ovo grande partiu-se.

— Quim! Quim! — fez o filhote, saindo desajeitadamente do meio das cascas.

Que patinho esquisito! Era grande, pardo e feio. A pata olhou-o desconfiada, pensando: "Grande demais para sua idade... Não parece nada com os outros. Será mesmo um peruzinho? Logo vou saber. Amanhã levarei a ninhada até o fosso, e se ele não quiser entrar na água, empurro-o lá dentro!"

No dia seguinte, fez um tempo maravilhoso. A floresta de bardanas reluzia ao sol. A pata reuniu sua ninhada e dirigiu-se com os patinhos para o fosso. Ali chegando, ordenou-lhes:

— Quac! Quac! — o que queria dizer: "Pulem na água, vamos!"

Um após outro, os patinhos mergulharam. Por um rápido momento, a água cobria-lhes a cabeça, mas logo em seguida eles conseguiam controlar o nado e passavam a flutuar como se fossem de cortiça. Sem que ninguém lhes ensinasse, aprendiam instintivamente a bater as perninhas, e era uma graça vê-los. Nadaram todos, inclusive o feioso.

"Não, ele não é um filhote de peru", pensou a pata, aliviada. "É pato mesmo, e até que nada bem direitinho. E tem um porte altivo, quem diria! É meu filho, não resta dúvida. E só é feio à primeira vista: quando se repara bem nele, até que é bem bonitinho..."

— Quac! Quac! Chega de nadar. Sigam-me. Vou mostrar-lhes o quintal e apresentá-los às outras aves. Fiquem bem pertinho de mim, para não serem pisados. E cuidado com o gato, ouviram?

Quando chegaram no pátio, escutaram um tremendo barulho. Da cozinha haviam jogado fora uma cabeça de enguia, e duas famílias de patos disputavam-na entre bicadas e grasnadas. Aproveitando a confusão formada, o gato chegou e mandou o petisco para o bucho.

— É assim que acontece no mundo, filhinhos — ensinou a pata, lambendo o bico, pois também era doida por cabeças de enguia. — Caminhem com elegância. E lembrem-se de cumprimentar aquela velha pata que está do outro lado. É a ave mais nobre aqui deste terreiro. Tem sangue espanhol! Vejam como é gorda e bem tratada! E reparem no pano vermelho que traz amarrado na perna. Ele atesta a nobreza de sua origem. É a mais alta distinção que se confere a um pato. Significa que ela nunca vai sair daqui, e que todas as aves e seres humanos devem admirá-la e respeitá-la. Não marchem tesos e empinados, como se fossem soldados! Ginguem o corpo para lá e para cá, como patinhos bem-educados, andando de pernas abertas, como sua mãe e seu pai. Balancem a cabeça e façam um "quac!" de vez em quando. É assim que os bons patinhos procedem.

Alguns patos chegaram-se perto dos recém-chegados, com cara de poucos amigos, e começaram a comentar em voz alta:

— Ih, olha um novo bando de patos por aqui! Já não tem pato de sobra nesse terreiro! Essa, não! E aquele pato esquisito ali no meio? Vai ser feio assim lá longe! Esse aí não dá para aguentar!

Um dos patos voou para o meio da ninhada e aplicou uma bicada no pescoço do patinho feio.

— Deixe-o em paz — gritou a mãe, enraivecida. — Que mal ele fez?

— Ele é desconjuntado e não parece com nenhum de nós — respondeu o pato atrevido. — É razão de sobra para levar umas boas bicadas!

— Lindos patinhos você teve! — disse a velha pata de sangue espanhol, que ali havia chegado atraída pelo ajuntamento. — São todos bonitinhos, menos aquele ali, que saiu com defeito. Seria bom se você desse um jeito nele.

— Não há nada que se possa fazer, Excelência — respondeu a pata. — Bonito, sei que ele não é, mas tem um gênio muito bom, e nada tão bem como os outros, ou até mesmo um pouco melhor. Quem sabe, com o tempo, ele acabe ficando do mesmo tamanho dos outros, e sua feiura diminua? Acho que ele ficou tempo demais dentro do ovo, por isso é que saiu meio estranho. Passou do ponto.

Ela afagou o pescoço do patinho feio e voltou a falar:

— Se ele fosse uma pata, aí sim, isso seria um problema; um pato, porém, não precisa preocupar-se tanto com sua beleza. Ele é forte e sadio, e certamente saberá cuidar de si próprio.

— Em compensação, os outros são lindos — disse a velha pata. — Sintam-se em casa. E se acaso encontrarem uma cabeça de enguia, não se esqueçam de me trazer um pedacinho.

E eles de fato sentiram-se "em casa".

Mas o pobre patinho que havia nascido por último, feio de dar dó, tomava empurrão, levava bicada, era maltratado e ridicularizado, não só pelos outros patos, como também pelas outras aves que viviam naquele terreiro. O peru, que tinha nascido com esporas compridas, e por isso imaginava ser um imperador, arrepiou suas penas, ficando igual um navio de velas enfunadas, e avançou sobre o patinho feio, grugulejando tão alto, que sua cara até ficou vermelha como sangue. O patinho quase morreu de susto.

Pobre coitado! Não tinha paz! Todas as aves do terreiro debochavam dele, rindo-se de sua feiura. Isso o deixava triste e desolado.

Assim passou-se o primeiro dia, mas os seguintes não foram melhores. O pobre patinho era perseguido e maltratado cada vez mais, até mesmo por seus próprios irmãos, que o chamavam de "bicho feio" e ameaçavam chamar o gato para comê-lo. Um dia, sua própria mãe lhe disse:

— Seria melhor se você sumisse daqui.

Sentindo-se escorraçado até mesmo pela menina que levava comida para as aves, todo marcado por bicadas e beliscões, o patinho feio decidiu ir-se dali para sempre. Voou sobre os arbustos que cercavam o quintal, atravessou o campo e entrou na floresta. Os passarinhos que o viam levavam susto, debandando em voo ligeiro. "Até estes daqui me acham horroroso", pensou o patinho, baixando os olhos, mas sem parar de seguir em frente.

Finalmente, chegou a um grande pântano, onde viviam patos silvestres. Ali parou para passar a noite, cansado que estava após tão longa caminhada.

Pela manhã, foi descoberto pelos patos silvestres, que o espiavam desconfiados.

— Que tipo de ave é você? — perguntaram-lhe.

O patinho feio inclinou-se para todos os lados, cumprimentando gentilmente seus novos companheiros.

— Você é danado de feio! — disseram os patos silvestres. — Mas isso é problema seu, e não nosso. Desde que não invente de querer casar com uma de nossas jovens, tudo bem.

O pobre patinho nem sonhava em se casar; tudo o que queria era poder nadar em paz entre os juncos, comer quando tinha fome e beber quando tinha sede.

Dois dias inteiros passou ele naquele pântano. No terceiro dia, apareceram por ali dois gansos selvagens, ainda muito jovens, e por isso sem medo e sem papas na língua. Vendo o patinho feio, disseram:

— E aí, bicho, tudo bem? Você é feio pra burro, mas parece boa gente, pode crer! Junte-se a nós, vamos migrar por aí. Tem um brejo aqui perto, onde mora cada gansinha bonita, que só vendo! Quem sabe você não arranja uma namorada lá? Beleza não é tudo na vida, e pode ser que uma delas pense assim. Vale a pena arriscar. Vamos lá, meu camaradinha!

Pou! Pou! Ouviram-se dois tiros, e os dois jovens gansos caíram mortos entre os juncos. A água tingiu-se de vermelho. Pou! Pou! Pou! Novos tiros ecoaram, e um bando de gansos selvagens saiu voando. Numerosos caçadores andavam por ali. De todos os lados saíam disparos de espingardas. Havia caçadores escondidos entre os arbustos, outros disfarçados entre os juncos, e outros trepados nos galhos das árvores que pendiam sobre a água. A fumaça azulada das armas pairava sobre o pântano como uma névoa e se elevava por entre as árvores. Cães de caça mergulharam na água e vieram em nado ligeiro, sem se importarem com os juncos que lhes estorvavam a passagem.

O pobre patinho estava apavorado. Já se preparava para enfiar a cabeça embaixo da asa, pensando que assim poderia esconder-se, quando avistou um cão enorme, que o espiava por entre os caniços. A língua pendia-lhe da boca, e seus olhos brilhavam ferozmente. Arreganhou a boca, mostrando os dentes poderosos, rosnou para o patinho, mas em seguida deu-lhe as costas e voltou nadando para a margem.

— Graças a Deus que sou feio! — soluçou o patinho. — Nem mesmo o cachorro quis me morder!

Continuou ali mesmo, o mais imóvel que pôde, enquanto os tiros continuavam a ribombar ao seu redor. O tiroteio somente cessou daí a muito tempo, quando o sol já estava bem alto no céu. Ele ainda esperou algumas horas, até que se atreveu a tirar a cabeça de sob sua asa. Então, saindo daquele pântano, fugiu sem rumo o mais depressa que pôde. Alcançou uma campina e tentou caminhar em frente, mas não conseguiu, porque um vento fortíssimo começou a soprar, em direção transversal à que ele seguia. Deixando-se levar pela força do vendaval, acabou chegando a uma choupana pobre, ao cair da noite. Era um casebre tão mal construído, tão torto, que poderia desabar para qualquer lado, a qualquer momento. Sem saber que lado escolheria para cair, ele acabava mantendo-se de pé. O vento soprava tão forte que o pobre patinho feio teve de sentar-se sobre a cauda, para não ser arrastado pela fúria do vendaval. Notou então que a porta do casebre estava mal-encaixada nos gonzos, entreabrindo-se com um rangido. Por aquela pequena abertura, ele se esgueirou para dentro.

Viviam ali uma velha, um gato e uma galinha. O gato chamava-se Neném, e sabia arquear as costas e ronronar. Ah, tinha mais: seus pelos desprendiam faíscas quando eram esfregados para a frente. A galinha tinha pernas muito curtas, por isso era chamada de Cocó Pernoca. Mas botava ovos muito gostosos, e a velha a estimava como se fosse uma filha.

Pela manhã, a galinha e o gato descobriram o patinho, pondo-se um a miar e a outra a cacarejar.

— Que que foi? — perguntou a velha, olhando ao redor.

Como não enxergava bem, custou a enxergar o patinho, até que o viu encolhidinho num canto. Imaginando que se tratasse de uma pata adulta, alegrou-se, dizendo:

— Eh, coisa boa! Vejam o que arranjamos; uma pata gorda! Vamos ter ovos de pata, de hoje em diante! Bem, talvez seja um pato, nunca se sabe. O jeito é dar um tempo, para saber.

E o patinho teve permissão de ficar ali durante três semanas, a título de experiência. Mas se a velha queria ovos, podia esperar sentada!

O gato e a galinha eram os verdadeiros donos daquela casa. Costumavam referir-se a si próprios como "nós e o resto do mundo", pois imaginavam ser a metade dos habitantes do planeta — e a metade melhor, ainda por cima. O patinho achava que poderia ter opinião diferente daquela, mas a galinha não concordou:

— Sabe botar ovo? — ela perguntou.

— Não — respondeu o patinho.

— Então, bico fechado!

Depois foi o gato quem entrou na conversa:
— Você sabe arquear as costas? Sabe ronronar? Seu pelo solta faíscas?
— Não.
— Então, nada de querer intrometer-se na conversa dos maiorais. Guarde para si suas opiniões.

O patinho foi sentar-se num canto, triste e desapontado. Ah, como era gostoso lá fora, ao ar livre, à luz do sol... Veio-lhe um enorme desejo de flutuar na água, e ele acabou não resistindo e comentando aquilo com a galinha.

— Que ideia mais maluca! — disse ela. — Onde já se viu? É o que dá quando não se tem nada a fazer... Tente botar um ovo, ou ronronar, que esses pensamentos idiotas logo irão embora.

— Você diz isso porque não sabe como é delicioso boiar nas águas tranquilas de um lago, depois mergulhar lá no fundo e reaparecer com a cabeça toda molhada — replicou o patinho.

— É; do jeito que você fala, parece divertido. Mas não passa de uma grande asneira. Pergunte ao gato, que é o bicho mais inteligente que conheço, o que ele acha de boiar no lago ou mergulhar no fundo da água. Minha opinião, você já conhece. Pergunte também à velha, que é a pessoa mais sensata que existe no mundo, se ela gosta de nadar e de ficar com a cabeça toda molhada. Ah, que ideia!...

— Vocês não compreendem... — gemeu o patinho feio.

— E dá para compreender? Vai ver que você se julga mais sábio que o gato ou que a velha, ou mesmo do que eu! Deixe de ser bobo! Agradeça ao Criador pela graça que lhe concedeu de encontrar um lugarzinho quente para dormir, onde vivem pessoas inteligentes que lhe podem ensinar alguma coisa. Faça isso, em vez de ficar dizendo asneiras que nem sequer têm um pingo de graça! Digo isto para o seu bem, porque sou sua amiga. Aproveite para aprender esta lição: a gente reconhece um amigo pelas verdades que ele nos diz, mesmo que estas nos deixem chateados. Agora, chega de conversa. Trate de fazer algo útil, como botar ovos, ronronar ou arquear as costas.

— Acho que o melhor que tenho a fazer é sair pelo mundo afora — replicou o patinho.

— Então, vá em frente. Boa viagem — concluiu a galinha.

E ele foi mesmo. Andou, andou, até encontrar um lago, onde pôde flutuar e mergulhar como desejava. Mas ali viviam outros patos, que logo se afastaram dele, por causa de sua feiura.

O outono chegou. As folhas tornaram-se amarelas, em seguida pardas, e depois desprenderam-se das árvores, caindo ao chão. O vento carregava-as, fazendo-as dançar. Das nuvens pesadas desciam granizo e neve. Um corvo pousou sobre a cerca e pôs-se a crocitar, tremendo de frio. Só de pensar no inverno que se anunciava, uma pessoa começava a tiritar. Imaginem só o que não estava sofrendo o pobre patinho.

Numa tarde, quando o sol se punha majestosamente no céu, um bando de lindas aves apareceu por ali. Suas penas eram tão brancas que até reluziam. Tinham pescoços longos e graciosos. Eram cisnes. Depois de soltarem um grito estranho, agitaram as asas e alçaram voo, rumando para as terras quentes do Sul, onde os lagos jamais se congelam no inverno. Voavam em círculos, cada vez mais alto. Tentando acompanhá-los com o olhar, o patinho feio também nadava em círculos, esticando o pescoço o máximo que podia. Sentia no coração um estranho sentimento de afeto para com aquelas aves tão lindas. Num dado momento, emitiu um grito tão aflito que ele mesmo se assustou, estremecendo.

Oh, ele nunca mais iria esquecer-se daquelas belas aves, alegres e felizes. Quando sumiram de vista, ele mergulhou no lago, nadando até o fundo. Ao voltar à tona, sentia-se fora de si. Ignorava o nome daquelas aves, não sabia para onde elas estavam seguindo, mas mesmo assim sentia por elas uma inexplicável atração, amando-as como jamais amara outras criaturas. Não as invejava, e em momento algum desejou ser tão belo quanto elas. Para ser feliz, bastaria que os outros patos tivessem deixado que ele vivesse em paz no terreiro. Quanto à sua feiura, já estava resignado a suportá-la enquanto vivesse. Pobre patinho feio...

O tempo esfriava cada vez mais. O patinho tinha de ficar constantemente nadando em círculos, para evitar que a água congelasse ao seu redor. O espaço de que dispunha tornava-se cada dia menor. Por todos os lados, uma casca de gelo se expandia, estalando e ameaçando sua segurança. Ele tinha de manter os pés batendo continuamente, ou do contrário não teria mais onde poder nadar. Por fim, cansou-se e parou. Não tinha mais forças para nadar. A crosta de gelo alcançou-o e a água endureceu a seu redor. Ele sentiu-se congelar por dentro.

Na manhã seguinte, um fazendeiro passou por ali e o avistou. Com o salto da bota, quebrou a crosta de gelo e libertou o pobre patinho, levando-o para sua casa. Ali, entregou-o à sua mulher, que o envolveu numa toalha quente, reanimando-o.

As crianças aproximaram-se, querendo brincar com ele. Temendo que quisessem machucá-lo, ele bateu as asas e voou, indo cair no balde de leite. Arriscou outro voo e foi cair no tacho de manteiga. Mais outra tentativa, e mergulhou na barrica de farinha de trigo. Imaginem só como ele ficou!

A mulher do fazendeiro gritou e enxotou-o com um atiçador. As crianças gargalhavam, tentando agarrá-lo e, de vez em quando, quase caindo uma sobre a outra. Que farra! Para sorte do patinho, a porta estava aberta, e por ali ele escapuliu. Entrando no meio de uns arbustos, encontrou um esconderijo. Sobre o chão forrado de neve, deitou-se, procurando manter-se o mais imóvel que podia, a fim de conservar-se vivo durante o resto do inverno.

Seria terrível relatar todos os sofrimentos e agruras que o pobre patinho feio experimentou durante aquele tenebroso inverno. Direi apenas que ele conseguiu sobreviver. Quando de novo o sol voltou a aquecer a terra, e as cotovias recomeçaram a cantar, o patinho feio já se achava entre os juncos do pântano, saudando a chegada da primavera.

Abriu as asas para voar, notando que elas se haviam tornado grandes e possantes. Quando deu por si, já estava longe do pântano, sobrevoando um belo pomar. As macieiras estavam em flor, e os lírios lançavam seus ramos cobertos de flores sobre as águas de um canal de leito sinuoso. Tudo era lindo, fresco e verde. De uma moita de caniços saíram três cisnes, ruflando as asas e flutuando placidamente sobre a água. O patinho feio reconheceu aquelas majestosas aves, sentindo-se novamente tomado por uma estranha melancolia. "Vou voar até lá e juntar-me àquelas aves maravilhosas. Não importa se elas se sentirem ofendidas com minha presença e resolverem matar-me a bicadas. Por certo não vão querer conviver com um bicho feio como eu — e daí?", pensou. "Antes ser morto por elas do que ser beliscado pelos meus irmãos, bicado pelas galinhas, chutado pelos humanos e castigado pelo inverno."

Pousando no canal, deslizou sobre a água, dirigindo-se para perto dos magníficos cisnes. Quando estes os avistaram, sacudiram as penas e também deslizaram em sua direção. O patinho feio parou, sem ousar encará-los. Baixando a cabeça, murmurou timidamente:

— Podem matar-me...

Foi então que ele viu, refletida na água cristalina, sua própria imagem. Céus! O que ele viu não foi a figura desengonçada, ridícula e deselegante de um patinho feio e pardacento. Não! O que ele viu foi o reflexo de um cisne majestoso e imponente. Sim, ele era um cisne!

Quando se sai de um ovo de cisne, não importa onde se nasceu e como se foi chocado.

Ele agora até agradecia pelos sofrimentos e angústias pelas quais havia passado, pois isso o fazia apreciar ainda mais a felicidade que sentia e o encanto que a vida agora representava. Os cisnes vieram rodeá-lo em círculo, pondo-se a acariciar com o bico o jovem irmão recém-chegado.

Crianças apareceram por ali, trazendo migalhas de pão para alimentar os cisnes. A mais novinha gritou:

— Olha, gente! Apareceu um cisne novo!

Bateram palmas, satisfeitas, e foram levar a notícia para seus pais. Estes vieram ver a novidade, trazendo pães e bolos para atirar na água. Todos concordaram em que o novo cisne era o mais bonito de todos, e mesmo os cisnes mais velhos inclinavam-se ante ele, elogiando sua beleza.

Sentindo-se envergonhado, ele escondeu a cabeça sob a asa. Estava extremamente feliz, mas não orgulhoso, pois esse sentimento não encontra guarida num bom coração. Lembrou-se do tempo em que fora escarnecido e perseguido. Agora todos diziam que era a ave mais formosa daquele bando de aves lindas. Os lilases estendiam os ramos em sua homenagem. O sol brilhava e aquecia a terra. Ele sacudiu as penas e curvou seu pescoço delgado, com o coração exultando de alegria, enquanto pensava: "Nunca imaginei que um dia poderia ser tão feliz, ao tempo em que não passava de um patinho feio e tristonho..."

O Soldadinho de Chumbo

Era uma vez um pelotão de vinte e cinco soldadinhos de chumbo, todos irmãos, pois foi do derretimento de uma velha concha que tinham sido feitos. Formavam um belo conjunto, todos de fuzis ao ombro, olhando altivos para a frente, parados em posição de sentido e ostentando belos uniformes vermelhos e azuis.

"Soldadinhos de chumbo!" foram as primeiras palavras que escutaram, exclamadas por um garoto que acabava de recebê-los de presente, no dia de seu aniversário. O menino fitava-os com olhos alegres, depois de aberta a tampa da caixa onde eles se encontravam, e batia palmas de contentamento. Tirando-os dali, apressou-se em organizá-los em fila sobre a mesa. Eram todos iguaizinhos, exceto um, que tinha uma perna só. Como fora fundido por último, faltara chumbo para completar uma de suas pernas, o que não parecia incomodá-lo, pois ele ficava tão firme quando posto de pé como seus outros vinte e quatro irmãos. Pois bem: esse soldadinho perneta é o herói da nossa história.

De todos os brinquedos espalhados sobre a mesa, o que chamava imediatamente a atenção era um castelo de papelão, réplica perfeita de um castelo de verdade. Através de suas janelas, podia-se ver o interior dos salões, decorados com belas pinturas. Na frente havia um pequeno lago rodeado por árvores, no qual nadavam cisnes que se refletiam perfeitamente na água, ou melhor, no espelho que imitava a água do lago. Tudo naquele castelo era agradável de se olhar, mas a coisa que ele tinha de mais encantador era a sua dona, uma pequena boneca de papel, postada junto à porta, trajando roupas de bailarina. O saiote era de musselina branca, e ela trazia sobre os ombros uma faixa azul, de cuja extremidade pendia uma lantejoula do mesmo tamanho do seu rosto. Seus braços estavam estendidos para a frente, como se ela fosse abraçar alguém, e ela se equilibrava na ponta de um dos pés, pois era uma bailarina. A outra perna estava toda estendida para trás, de modo que não se podia vê-la, quando se olhava a bailarina de frente. Foi por isso que o soldadinho de chumbo imaginou que ela tinha uma só perna, como ele.

"Ah, que esposa perfeita seria essa moça!", ficava imaginando o soldadinho, enquanto contemplava de longe a bailarina. "Mas receio que ela nem ligue para mim. Não passo de um simples soldadinho de chumbo, que mora numa caixa com outros vinte e quatro irmãos, ao passo que ela vive num castelo. Se eu a tirasse de lá para ser minha esposa, não teria para onde levá-la... Mas isso não impede que venhamos a ser amigos."

Para melhor contemplar a jovem, que continuava equilibrando o corpo na ponta de um só pé, o soldadinho deitou-se de comprido atrás de uma caixa de rapé, e ali ficou.

À noite, quando chegou a hora de dormir, os outros soldadinhos de chumbo foram guardados na caixa. Depois que todas as pessoas da casa já se haviam recolhido, dormindo profundamente, os brinquedos começaram a se divertir. Suas brincadeiras eram de esconde-esconde, pegador e quatro-cantos. Os vinte e quatro soldadinhos agitavam-se dentro de sua caixa, doidos para participarem da farra, mas não conseguiam tirar a tampa, que era muito justa. O quebra-nozes plantava bananeira, enquanto que o lápis-cera se divertia desenhando na lousa. O barulho era tanto, que o canário acordou, pondo-se a fazer versos engraçados, mexendo com todos os brinquedos e provocando o riso geral. Os únicos que se mantinham imóveis, sem tomar parte na brincadeira, eram a bailarina e o soldadinho de chumbo, cada qual se equilibrando numa só perna. Ele não tirava os olhos dela, nem por um momento, sem virar a cabeça ou até mesmo piscar.

O relógio bateu meia-noite. Tlec! — a tampa da caixa de rapé abriu-se de repente, e de dentro dela saltou um duende todo de preto, de cenho franzido e aspecto feroz.

— Soldadinho de chumbo — ordenou ele, como se fosse um capitão —, tire os olhos dela!

O soldado permaneceu firme, fingindo não ter escutado a ordem.

— É assim, não é? — esbravejou o duende. — Espere até amanhã, que você vai ver só o que acontece!

Depois dessa ameaça, entrou de novo na caixa de rapé e fechou a tampa.

Na manhã seguinte, quando as crianças já estavam de pé, o menorzinho viu o soldado e o colocou no peitoril da janela. Seja devido ao poder mágico do duende, seja por causa de uma rajada de vento, o fato é que, de repente, o soldadinho de chumbo foi atirado para fora, caindo entre as pedras do calçamento. Foi uma queda de três andares, e ele caiu de cabeça para baixo, enterrando sua baioneta na terra, entre duas pedras.

A criada e o menino logo desceram à sua procura. Andaram para lá e para cá, quase chegaram a pisá-lo, mas não conseguiram encontrá-lo. Se ele tivesse gritado: "Estou aqui!", eles o encontrariam, mas o soldadinho era orgulhoso e valente, e preferiu manter-se calado, a fim de manter sua dignidade militar. Por fim, os dois desistiram da busca e voltaram para casa.

Começou a chover; de início, devagarinho; depois, mais forte; por fim, desabou uma tempestade. Quando a chuva cessou, passaram por ali dois meninos de rua.

— Olha ali — disse um deles —, um soldadinho de chumbo! Vamos ver se ele é bom marinheiro.

Pegando uma folha de jornal, fizeram um barco de papel, puseram dentro dele o soldadinho e o colocaram para navegar na enxurrada. A correnteza era forte, e o barco logo desceu por ela abaixo, seguido pelos dois garotos, que corriam atrás dele, rindo e batendo palmas. As ondas furiosas faziam o barquinho subir e descer. O soldadinho estremeceu de medo, mas permaneceu firme, mantendo seu fuzil ao ombro e olhando direto para a frente.

Súbito, o barco entrou num bueiro, tão escuro como a caixa em que ele morava; só que, ali, ele tinha vinte e quatro colegas de escuridão, enquanto que, aqui, estava sozinho num barco desgovernado. "Só quero ver como é que tudo isto vai acabar", pensou ele. "Deve ser arte do duende. Pena que a bailarina não esteja aqui comigo... Se estivéssemos juntos, eu não sentiria medo algum, mesmo que a escuridão fosse mais negra que o piche."

Uma ratazana que morava no esgoto viu o barquinho de papel e ordenou ao soldado que parasse, gritando:

— Pare! Mostre seu passaporte, pois do contrário não pode passar!

O soldadinho nada respondeu, apertando o fuzil junto ao peito. A correnteza tornou-se mais forte, e o barco descia com velocidade cada vez maior. A ratazana nadava atrás dele, rangendo os dentes de raiva. Vendo dois talos de capim e um raminho quebrado que flutuavam ao longe, gritou-lhes:

— Parem esse barco! O passageiro não tem passaporte e não quis pagar a taxa!

A água descia com impetuosidade cada vez maior. Lá na frente do túnel escuro, o soldadinho avistou uma luz. Era onde o bueiro terminava. Mas também chegou-lhe aos ouvidos um ruído estranho, como se fosse de um ronco surdo, capaz de fazer estremecer até o mais valente dos homens. É que, na extremidade do bueiro, as águas se despejavam num canal, de onde rumavam para o mar. Descer por ali seria a mesma coisa que cair numa cachoeira, para nós. Imaginem a preocupação que o invadia, à medida que o ronco das águas aumentava!

Não havia como deter a marcha veloz do barco. E o soldado seguia firme, sem deixar que o medo tomasse conta dele. O barco rodopiou quatro vezes, encheu-se de água até a borda, ameaçava afundar. O papel de jornal estava encharcado, e a água já chegava à altura do pescoço do soldadinho. Pensando na bailarina, e imaginando nunca mais tornar a vê-la, vieram-lhe à mente dois versos de um poema:

> Prossegue em frente, soldado valente,
> Mostra que és forte e não temes a morte.

Nisto, o papel se desfez, e o soldadinho foi afundando, levado pelas águas. Já estava bem próximo da lama que cobria o fundo do canal, onde imaginava que ficaria enterrado para sempre, quando um peixe voraz o engoliu.

Dentro do estômago do peixe era ainda mais escuro e apertado do que no bueiro, mas o soldadinho permaneceu firme, sempre segurando seu fuzil apoiado no ombro.

De repente, o peixe começou a se agitar e saltar de maneira desesperada, até que finalmente parou. Passado algum tempo, um raio de luz desceu sobre o rosto do soldadinho, e ele escutou uma voz que dizia:

— Olha aqui, gente! O soldadinho de chumbo estava na barriga do peixe!

Que coisa incrível: alguém havia pescado o peixe, levando-o para o mercado; ele ali fora vendido para a cozinheira da casa de onde o soldadinho havia saído! Quando a cozinheira o cortara com o facão, a fim de limpá-lo, encontrara ali dentro o soldadinho de chumbo que desaparecera no dia anterior! Pegando-o com dois dedos pela cintura, ela o levou à sala, onde todos se espantaram com aquela estranha coincidência. A aventura do soldadinho de chumbo que voltara para casa dentro do estômago do peixe foi comentada por todos. Ele, porém, não sentia orgulho algum em relembrar sua aventura.

Ah, as voltas que o mundo dá!... Lá estava ele de volta à mesma sala de onde havia saído na véspera, e colocado sobre a mesma mesa, junto com outros brinquedos que já conhecia. Ali estava o castelo de papelão, com a bailarina parada junto à porta, equilibrando-se na ponta de um dos pés, e mantendo a outra perna estendida para trás. Essa visão fez o coração do soldadinho estremecer, e ele quase deixou que uma lágrima de chumbo escorresse de seus olhos, mas soube conter-se, achando que aquilo não seria digno de um militar. Olhou para a bailarina, e ela também olhou para ele, mas os dois não trocaram uma só palavra.

Num dado momento, eis que o caçulinha da casa, o mesmo menino levado que tinha posto o soldadinho no peitoril da janela, agarrou-o pela cintura e o atirou no fogo da lareira. Por que fizera aquilo? Nem o menino saberia dizê-lo, mas por certo o duende tinha algo a ver com a coisa.

As chamas rodearam o corpo do soldadinho de chumbo. Um calor intenso invadiu seu peito, mas ele não sabia se seria provocado pelo fogo ou pela paixão que ardia no fundo do seu coração. As cores de seu uniforme, que já estavam um tanto desbotadas devido à sua aventura, acabaram por desaparecer. Por entre as chamas, ele ainda conseguiu enxergar a pequena bailarina, e viu que ela também olhava para ele. Sentiu que seu corpo começava a derreter-se, mas continuou firme, como sempre, mantendo o fuzil junto ao ombro, sem tirar os olhos da porta do castelo e da linda bailarina que ali estava.

Neste momento, alguém abriu a porta da sala. Uma rajada de vento entrou, carregou a bailarina, e ela voou como uma sílfide[2], indo cair bem dentro da lareira. Num segundo o fogo a consumiu, e ela se transformou em cinzas, no exato instante em que o soldadinho de chumbo acabava de se derreter.

No dia seguinte, quando a criada veio limpar a lareira, encontrou entre as cinzas os restos carbonizados da lantejoula da bailarina, pretos como carvão, bem ao lado de uma peça achatada de chumbo, que tinha o formato exato de um coração.

---

2 Criatura feminina do ar na mitologia céltica da Idade Média.

A Roupa Nova do Rei

Há muitos e muitos anos, vivia um imperador que só se preocupava em vestir roupas caras e elegantes, gastando com essa vaidade todo o dinheiro que tinha. Não dava atenção ao seu exército, não frequentava o teatro, não saía a passeio, a não ser que fosse para exibir algum novo traje que acabara de mandar fazer. A cada hora do dia, lá estava ele com uma roupa diferente. Geralmente, quando se vai à procura de um rei, é comum escutar: "Ele está numa reunião do Conselho". No caso daquele imperador, porém, a resposta era sempre outra: "Ele está no quarto de vestir".

A capital de seu reino era uma cidade alegre e movimentada. Todo dia, diversos viajantes estavam chegando e saindo. Certa vez, apareceram por ali dois espertalhões, e foram logo espalhando que eram tecelões e alfaiates famosíssimos, sabendo tecer e costurar panos e trajes verdadeiramente maravilhosos. "Não só as cores e padronagens de nossos tecidos são extraordinariamente belas", diziam, "como, além disso, as roupas que fazemos possuem a qualidade incomum de não poderem ser vistas pelos incompetentes e pelos imbecis!"

"Que coisa fantástica!", pensou o imperador. "Se eu tivesse uma roupa dessas, poderia saber qual dos meus conselheiros não teria competência para ocupar seu cargo, e logo reconhecer quais seriam meus súditos mais inteligentes. Vou ordenar que esses dois teçam e costurem uma roupa para mim."

Chamou os dois espertalhões, entregou-lhes uma boa soma de dinheiro e ordenou que começassem a tecer o pano sem perda de tempo.

Os dois armaram um tear e imediatamente começaram a fingir que estavam trabalhando, embora não houvesse fio algum no aparelho. As sedas mais finas e os fios de ouro que o imperador lhes entregou, esconderam-nos em suas mochilas, trabalhando até tarde da noite no tear vazio, como se estivessem de fato tecendo um pano.

"Gostaria de saber como é que o trabalho está caminhando", pensou o imperador, sem coragem de ir pessoalmente verificar o serviço, pois sentia um ligeiro receio de não ser capaz de enxergar o tecido. Assim, por via das dúvidas, preferiu mandar alguém para a tarefa da verificação. Desse modo, ficaria sabendo se o seu emissário seria ou não um incompetente ou imbecil. Todos os habitantes da capital tinham ouvido falar da qualidade mágica daquele tecido, e havia uma curiosidade geral em descobrir quais seriam os mais tolos e os menos competentes do reino.

"Já sei quem irei mandar até lá: meu primeiro-ministro", pensou o imperador. "Ele poderá trazer-me a informação correta, pois é o sujeito mais sábio e competente que conheço."

O velho e simpático ministro, cumprindo a ordem do imperador, entrou na sala de costura do palácio, e viu os tecelões trabalhando ativamente no tear vazio. "Ai, meu Deus do céu!", pensou, enquanto piscava os olhos para ver se conseguia enxergar os fios, "não estou vendo coisa alguma!" Mas preferiu ficar de boca fechada.

Os dois espertalhões convidaram-no a chegar mais perto do tear, para que pudesse admirar a bela padronagem e as maravilhosas cores do material que estavam tecendo. O pobre velho aproximou-se, olhou para tudo que eles lhe apontavam, ora apertando, ora arregalando os olhos, mas continuou nada enxergando.

"Devo ser um imbecil", matutava ele, sempre calado. "Não acho que seja; mas, e se for? É melhor que ninguém venha a saber. Ou então pode ser que eu não seja competente para ocupar o cargo de primeiro-ministro. Se ficarem sabendo disso, estou perdido! Sabe de uma coisa? Vou fingir que estou vendo os fios e o tecido — é o melhor que tenho a fazer!"

— Então, Senhor Ministro? Qual é a opinião de Vossa Excelência? — perguntou um dos falsos tecelões.

— De fato, é um belo tecido, senhores — respondeu o primeiro-ministro, consertando os óculos. — Que padronagem! Que cores! Que bom gosto! Vou relatar ao imperador a excelente impressão que tive.

— Obrigado, Excelência — agradeceram os espertalhões, que em seguida passaram a dar explicações sobre a combinação das cores e a disposição dos desenhos.

O velho ministro ouviu tudo atentamente, a fim de poder repetir todos os detalhes ao imperador, como de fato o fez pouco depois.

No dia seguinte, os dois pediram mais dinheiro para comprar novos materiais. Tão logo receberam a soma, meteram tudo no bolso, sem comprar coisa alguma.

Passado um dia, o imperador enviou outro emissário para ver o andamento do serviço. Dessa vez, escolheu um dos conselheiros de sua maior confiança. Este também, do mesmo modo que o primeiro-ministro, ficou olhando longamente para o tear vazio. Como ali nada havia para ver, ele nada viu.

— Que tal a peça, Senhor Conselheiro? Não é maravilhosa? — perguntou um dos espertalhões, passando a descrever as cores e os desenhos.

Enquanto escutava, o conselheiro refletia: "Imbecil, sei que não sou. Então, devo ser incompetente para fazer parte do Conselho Real. Ai, ai, ai! Melhor não contar isso a ninguém!"

Para disfarçar seu desapontamento, começou a elogiar o trabalho que fingia estar vendo:

— Acho que é a peça de tecido mais linda que já vi até hoje! — declarou pouco depois ao imperador.

A beleza do pano que estava sendo tecido no palácio tornou-se o comentário geral entre os moradores da capital.

Por fim, o próprio imperador resolveu examinar a peça, antes que ela fosse retirada do tear. Levando consigo um grupo seleto de acompanhantes, entre os quais seu primeiro-ministro e o conselheiro de confiança, entrou no quarto de costura, onde os dois espertalhões fingiam trabalhar com todo empenho, no tear vazio.

— Não é magnífico, Majestade? — perguntou o primeiro-ministro.

— Veja que cores, Majestade! Que padronagem! — exclamou o conselheiro.

E ambos apontavam para o tear vazio, acreditando que todos os presentes estivessem vendo o que só eles não viam.

"Caramba!", pensou o imperador. "Não vejo coisa alguma! Que horror! Que será que me falta: competência ou inteligência? Seja o que for, ninguém poderá saber!"

Isso foi o que ele pensou, mas não o que ele disse.

— Mas que maravilha! — exclamou, sacudindo a cabeça. — Tem minha inteira aprovação!

Os conselheiros, ministros e nobres ali presentes miravam embevecidos o tear vazio, fingindo enxergar o que ali não havia. Elogios e conselhos se sucediam:

— É uma beleza!

— Vossa Majestade bem poderia mandar fazer uma roupa com este pano, para poder desfilar com ela na parada!

— Magnífico!

— Uma obra de arte!

— Não existe outro igual!

Pena que o que saía das bocas não entrava nos olhos.

O imperador ordenou ali mesmo que os dois espertalhões fossem condecorados, concedendo-lhes o título de "Reais Cavaleiros do Tear".

Na véspera da parada, os espertalhões passaram a noite em claro, dando os arremates finais na roupa do imperador. Dezesseis velas ardiam no quarto de costura. Os dois trabalhavam com afinco. Fizeram de conta que tiravam o pano do tear e passaram a cortá-lo com suas grandes tesouras, costurando-o depois com agulhas sem linha. Por fim, anunciaram:

— O traje do imperador está pronto!

Transmitido o aviso, ali chegou o imperador, acompanhado de seus camareiros. Os dois, erguendo as mãos como se estivessem segurando alguma coisa, disseram:

— Aqui estão as calças. Eis o casaco de Vossa Majestade. E aqui está o manto. São tão finos e leves, que parecem feitos de teias de aranha! Vossa Majestade vai sentir como se não tivesse coisa alguma sobre o corpo. É um tecido muito, muito especial!

— Que maravilha! — exclamaram todos, mesmo não vendo coisa alguma, já que nada havia para ser visto.

— Poderia Vossa Imperial Majestade fazer o obséquio de experimentar os novos trajes? — pediram cortesmente os dois velhacos. — Vamos até aquele espelho, por gentileza.

O imperador tirou as roupas e dirigiu-se para o espelho. Gesticulando como se o estivessem vestindo, enlaçavam-lhe a cintura, pediam-lhe que abaixasse a cabeça e levantasse uma perna, até que finalmente lhe prenderam o que diziam ser o longo manto, chamando dois cortesãos para segurar suas pontas, a fim de que ele não se arrastasse pelo chão.

O imperador ficou virando-se diante do espelho, admirando a majestosa roupa que não podia ver.

— Oh, como lhe cai bem! — diziam uns.

— Um traje à altura da grandeza de Vossa Majestade! — exclamavam outros.

— Que cores! Que padronagem! Verdadeiramente magnífico!

Nesse momento, chegou o chefe do cerimonial e avisou:

— Já está pronto o pálio sob o qual Vossa Majestade irá desfilar.

— Também já estou pronto. Esta roupa não me fica bem? — perguntou, enquanto se virava diante do espelho, fingindo acertar algum detalhe do caimento.

Os dois camareiros reais tatearam o chão, tentando encontrar a ponta da cauda do manto que teriam de segurar. Jamais ousariam admitir que nada estavam vendo; por isso, fizeram de conta que seguraram o manto e ergueram as mãos para cima, como se o tivessem erguido do chão.

O imperador deu início ao desfile, caminhando pomposamente sob o pálio de veludo. O povo, postado nas ruas e nas janelas das casas, tecia os maiores elogios à beleza de seus trajes.

— Que manto magnífico!

— Veja só a cauda do manto: é comprida e maravilhosa!

— E como a roupa cai bem! O imperador jamais desfilou com um traje igual a esse!

Ninguém tinha coragem de admitir que nada estava vendo; quem o fizesse, corria o risco de ser considerado incapaz para o seu serviço, ou, o que é pior, um rematado imbecil. E nunca o imperador causara tanto sucesso quanto durante aquele desfile.

De repente, porém, escutou-se uma voz infantil saída do meio da multidão:

— Ué! Mas ele está sem roupa!

— Escutem a voz da inocência! — exclamou o pai, demonstrando surpresa e orgulho.

Entre murmúrios, a frase dita pela criança foi sendo repetida de boca em boca.

— O imperador está nu! Foi uma criança ali atrás quem disse!

— Não está usando roupa alguma! — começou-se a comentar em voz cada vez mais alta.

— Ele está nu! Nu em pelo! — gritava-se, por fim, entre gargalhadas.

O imperador estremeceu, caindo em si e compreendendo que havia sido logrado. Sem nada dizer, seguiu em frente, pensando: "Tenho de aguentar firme até o final do desfile".

E lá se foi ele, caminhando de cabeça erguida, enquanto os dois camareiros reais seguiam atrás, segurando as pontas da cauda do manto que não existia.

A POLEGARZINHA

Era uma vez uma mulher cujo único desejo era ter um filho bem pequenininho, só que não tinha ideia de como fazer para arranjar uma criança assim. Então, um belo dia, ela foi à casa de uma velha feiticeira, e perguntou:

— Que devo fazer para ter um filhinho bem miudinho? Gostaria de ter um...

— Isso não é difícil de se arranjar — respondeu a feiticeira. — Olhe este grão de cevada: ele não é do tipo comum, que se planta nas fazendas e se compra no armazém para dar às galinhas. É um grão de cevada especial. Plante-o num vaso e espere para ver o que acontece.

— Muito obrigada — disse a mulher, pondo doze moedinhas na mão da feiticeira.

Dali, voltou para casa e plantou o grão de cevada. Nem bem o cobriu de terra, e ele começou a germinar. Em pouco, foi surgindo a haste e se formando um botão de flor, parecido com uma tulipa prestes a desabrochar.

— Que lindo botão de flor — disse a mulher, beijando as pétalas vermelhas e amarelas, ainda inteiramente fechadas.

Nesse mesmo instante, dando um estalo, as pétalas se abriram, deixando ver que a flor era mesmo uma tulipa de verdade. Só que, bem no meio dela, em cima do pistilo, estava sentada uma menina em miniatura, tão pequenininha que seu tamanho não era maior do que a grossura de um dedo. "Dedolina", pensou a mulher sorrindo, "é assim que vou chamá-la".

Uma casca de noz envernizada tornou-se o berço de Dedolina; pétalas de violeta, seu colchão, e uma petalazinha de rosa, seu cobertor. Ali ela passava a noite; durante o dia, brincava em cima da mesa, perto da janela. A mulher colocou nessa mesa uma tigela cheia de água, enfeitando toda a beirada com flores. No meio desse laguinho ficava flutuando uma pétala curva de tulipa, sobre a qual Dedolina se sentava. Era seu barco, e nele ela navegava de um lado para o outro da tigela, usando como remos dois grossos fios brancos arrancados da crina de um cavalo. Aquilo era a coisa mais graciosa de se ver! E de se ouvir, também, pois Dedolina gostava de cantar, e sua voz era tão suave e delicada como jamais se ouvira outra igual.

Uma noite, quando ela dormia em seu mimoso bercinho, uma sapa enorme entrou na sala, depois de passar pela janela que estava com uma das vidraças quebrada. Além de muito feia, a sapa estava toda molhada. Depois de passar pela vidraça quebrada, ela saltou para a mesa sobre a qual Dedolina dormia, embaixo da macia pétala de rosa que lhe servia de cobertor. "Essa daí daria uma ótima esposa para meu filho", pensou a sapa, erguendo a casca de noz e carregando-a consigo de volta para o jardim.

Dali, a sapa foi pulando até a beira de um córrego, seguindo pela margem até um lugar bem lamacento, que era onde ela e seu filho moravam. O sapo-filho era tão feio quanto a sapa-mãe.

— Croc!... Croc!... Croc!... — foi tudo o que ele disse quando viu a graciosa figurinha dentro de sua casca de noz.

— Não coaxe tão alto, ou irá acordá-la — advertiu a mãe. — Ela pode fugir, e aí não conseguiremos agarrá-la, pois ela é leve como uma pluma de cisne. Vou colocá-la em cima de uma folha de nenúfar, e ela vai se sentir como se estivesse numa ilha. Nesse meio-tempo, arrumaremos uma casinha para vocês dois, lá no meio do brejo.

No meio do córrego havia muitos nenúfares, com folhas em forma de bandeja, que flutuavam em cima da água. A maior delas era a que ficava mais longe da margem. Foi para lá que a sapa levou a caminha de Dedolina, com ela dentro, ainda adormecida.

Quando a pobre menininha acordou pela manhã e viu que estava numa enorme folha verde, rodeada de água por todos os lados, começou a chorar desesperadamente. Não havia como sair dali e alcançar a margem do córrego.

Enquanto isso, a sapa estava atarefada, arrumando a casinha destinada ao casal, bem no meio do brejo. As paredes estavam sendo enfeitadas com juncos e bunhos que cresciam nos arredores. Ela fazia o melhor que podia, para deixar a nora bem satisfeita. Depois de terminada a arrumação, ela e o filho foram nadando até a folha de nenúfar onde estava Dedolina. Iam buscar o bercinho, para colocá-lo no quarto do casal. Ali chegando, a sapa inclinou a cabeça num cumprimento (o que não é fácil de fazer, quando se está nadando) e disse:

— Apresento-lhe meu filho. Ele em breve será seu marido. Vocês vão viver muito felizes, no brejo que fica do lado de lá.

— Croc!... Croc! — foi tudo o que o sapo-noivo disse.

Os dois pegaram o berço e saíram nadando com ele. A pobre Dedolina, amargurada, sentou-se na grande folha verde e chorou, chorou. Não queria viver com uma sogra tão feia, nem se casar com um marido tão horrendo.

Os peixinhos que nadavam por ali escutaram o que a sapa dissera, e puseram as cabeças para fora da água, a fim de ver como seria a noiva do sapo. Quando viram aquela menininha tão graciosa e bonita, morreram de pena, e resolveram impedir o casamento. Para tanto, foram mordendo o talo que sustentava a folha e que a prendia ao fundo, até soltá-la, deixando-a deslizar pelo córrego abaixo, e desse modo levando Dedolina para bem longe daquele sapo horroroso.

Enquanto ela descia o córrego, os passarinhos que a viam admiravam sua beleza e cantavam para ela. E lá se foi a folha de nenúfar, levando aquela minúscula passageira numa longa jornada por terras distantes.

Uma linda borboleta de asas brancas, ao ver Dedolina, tomou-se de amores por ela e passou a voar em torno da folha, até que resolveu pousar ali. A menininha riu, satisfeita. Estava feliz por ter escapado do sapo; além disso, o córrego, que já se transformara num regato, corria por entre lindas paisagens, iluminadas pela luz dourada do sol. Tirando seu cinto de seda, ela o passou em torno da borboleta, prendendo-a na borda da folha. A borboleta então alçou voo, fazendo a folha descer o regato mais rápido do que antes.

Foi então que um grande besouro a avistou. Zumbindo, voou em sua direção, agarrou-a pela cinturinha e levou-a para cima de uma árvore. A folha de nenúfar continuou descendo o regato, levando presa a pobre borboleta, que não tinha como soltar-se da fita de seda.

Deus do céu, como a pobrezinha se sentiu apavorada, enquanto o besouro a levava pelos ares! Maior que seu medo, porém, era a pena que sentia da infeliz borboleta que ela tinha amarrado à folha de nenúfar. Se ela não conseguisse soltar-se, iria acabar morrendo de fome!

Já o besouro estava pouco se importando com o que poderia acontecer à borboleta. Deixando Dedolina em cima de uma folha, a maior que havia na árvore, logo lhe trouxe néctar de flores para beber, dizendo-lhe que ela era a coisa mais linda que ele já vira até então, mesmo ela não sendo uma besourinha. Ouvindo isso, duas besouras solteiras que passavam por ali torceram suas antenas, deram um muchocho e comentaram alto, para que ele escutasse:

— Hum... ela só tem duas pernas... como é feiosa! Não tem antenas, e sua cintura é muito estreita. Ih, sinto até arrepios! Ela é tão horrorosa, que até parece um ser humano!

Todas as outras fêmeas concordaram com elas. O besouro que tinha trazido Dedolina continuava a achá-la um encanto; porém, vendo que as outras insistiam em dizer que ela era feia, acabou convencido disso, levando-a para baixo e pondo-a sobre uma margarida. Ali a deixou, dizendo-lhe que fosse para onde quisesse, pois ele já não estava mais ligando para ela.

Pobre Dedolina, como chorou! Que tristeza sentiu por saber que era tão feia, mas tão feia, que nem um besouro queria ficar com ela! E, no entanto, ela era bonita como o quê, e mais encantadora que a pétala de rosa mais suave e bela.

Durante todo aquele verão, a infeliz menininha viveu inteiramente só na floresta. Com folhas de capim, ela trançou uma rede, armando-a debaixo de uma grande folha de bardana, para proteger-se da chuva. Seu alimento era o néctar das flores, e a bebida que tomava eram as gotas de orvalho que escorriam das folhas pela manhã.

O verão e o outono passaram, e então chegou o inverno, o longo e frio inverno. Todas as aves que até então tinham cantado tão lindamente, foram-se embora. As flores murcharam, e as árvores perderam as folhas. Até mesmo aquela que a tinha protegido da chuva enrolou-se sobre si própria, transformando-se num canudo seco e enrugado. A roupa de Dedolina estava toda esfarrapada, e sua pele delicada e sensível estava arroxeada pelo frio. Para piorar a situação, a neve começou a cair, e cada floco, para ela que só tinha um dedo de altura, parecia uma pazada de neve despejada em cima da pobre coitada.

Ao lado da floresta havia um extenso campo semeado de trigo. Naquela ocasião, porém, só restavam no chão frio as hastes secas e nuas, apontando para o céu. Para ela, esses tocos pareciam uma verdadeira floresta. Tremendo de frio, ela foi caminhando entre eles, até chegar à entrada da toca de uma ratinha do campo. Era apenas um buraquinho no chão. Lá no fundo, porém, Dona Ratinha vivia numa toca aconchegante e confortável, dotada de uma despensa cheia e uma boa cozinha. Como se fosse uma mendiga, Dedolina bateu palmas e pediu que a dona da casa lhe desse pelo menos um grãozinho de cevada, pois havia muitos dias que não comia.

— Pobrezinha — disse Dona Ratinha quando a viu, condoída de seu estado. — Venha aqui para dentro. Vou lhe dar de comer.

Examinando-a melhor, Dona Ratinha logo gostou dela.

— Pode passar o inverno aqui, mas você terá de manter o quarto sempre arrumado, e de me contar uma história todo dia. Gosto muito de escutar histórias.

Dedolina agradeceu o oferecimento da ratinha, e passou a viver ali alegre e satisfeita.

— Qualquer dia desses vamos receber uma visita — disse-lhe Dona Ratinha no dia seguinte. — É meu vizinho, o Sr. Toupeira, que me vem ver uma vez por semana. Sua casa é bem mais confortável que a minha. Você precisa ver sua sala de visitas e o casaco de peles que ele usa. Quem sabe ele vai querer casar com você? Isso seria excelente! Só que ele não pode vê-la, porque é cego. Mas pode ouvi-la; por isso, trate de contar-lhe as histórias mais bonitas que você conhece.

Dedolina não gostou nada da ideia de se casar com uma toupeira, mas preferiu nada dizer.

No dia seguinte, lá veio o Sr. Toupeira, vestido com seu elegante casaco de peles. Dona Ratinha gostava muito dele: era um vizinho prestativo, muito sensato e, o que era melhor, riquíssimo. Sua casa era vinte vezes maior que a dela, e ele era muito instruído, sabendo um pouco de tudo. Entretanto, como não tinha visão, detestava o sol e as flores, achando que eram "coisas abomináveis".

Depois de conversarem um pouco, Dona Ratinha pediu que Dedolina cantasse alguma coisa para o visitante. Com sua voz suave e delicada, ela cantou "Frère Jacques, Frère Jacques, dormez vous? dormez vous?", deixando o Sr. Toupeira apaixonado, pois nunca antes havia escutado algo assim tão belo. Mas ele nada disse, pois era muito discreto e não gostava de revelar seus sentimentos.

Para chegar à casa de Dona Ratinha, ele tinha cavado um túnel sob a neve, e convidou as duas para examinarem sua obra. Preveniu-as, porém, para não se assustarem com uma ave morta que estava no meio do caminho. Ela estava congelada, inteirinha, com penas e tudo. Por acaso, enquanto escavava o túnel, o Sr. Toupeira a encontrara, deixando-a ali por enquanto, até resolver o que fazer com ela.

Chamando as duas para acompanhá-lo, o Sr. Toupeira seguiu à frente, tendo nos dentes um pedaço de madeira seca fosforescente, para iluminar o caminho. Quando chegaram ao lugar onde estava a avezinha morta, ele enfiou seu focinho na camada de neve e cavou para cima até a superfície, fazendo um buraco por onde penetrava a luz do sol. Dona Ratinha e Dedolina puderam então ver melhor a ave: era uma andorinha toda encolhida, com a cabecinha enfiada sob uma das asas. A pobrezinha certamente havia morrido de frio. Aquela visão deixou Dedolina muito triste, pois ela amava as aves que, com seus trinados, tantas alegrias lhe haviam causado durante o verão. O Sr. Toupeira empurrou a andorinha para o lado com o pé e comentou azedamente:

— Essa aí não pia mais. Que falta de sorte ser um passarinho! Graças a Deus, nenhum dos filhos que eu tiver será passarinho. A única coisa que sabem fazer é ficar trinando por aí. Quando chega o inverno, adeus! Morrem de fome.

— É isso mesmo, Sr. Toupeira, suas palavras são sábias — concordou Dona Ratinha. — De que vale saber cantar, quando sobrevêm o frio e a fome? E tem bicho que acha isso romântico...

Dedolina preferiu nada dizer, mas quando a ratinha e a toupeira seguiram em frente, ela se inclinou sobre a andorinha e beijou seus olhinhos fechados. "Talvez ela seja uma daquelas aves que cantavam tão lindamente para mim durante o verão", pensou. "Quanta alegria você me trouxe, querida andorinha!"

Depois de verem todo o túnel, as duas voltaram para casa, sempre acompanhadas pelo Sr. Toupeira. Aquela noite, Dedolina não dormiu. De madrugada, deixou a cama e teceu com palha uma coberta, levando-a até o lugar onde estava a andorinha morta. Depois, tirando dos guardados de Dona Ratinha uns pedaços de algodão, enfiou-os por baixo da ave, para protegê-la do contato com o chão congelado. Feito isso, despediu-se dela, murmurando:

— Adeus, querida andorinha. Obrigada pelo seu canto, que me alegrou durante o verão, quando as árvores estavam verdes e o calor do sol nos aquecia.

Para despedir-se, abraçou a andorinha, encostando a cabeça em seu peito. Foi então que ela levou um susto, recuando de repente! O coração da andorinha começou a bater, devagarzinho. Ela não estava morta, apenas paralisada de frio. Com o calor, voltara a viver!

De fato, quando chega o outono, as andorinhas migram para as terras quentes. Se uma delas se atrasa e se deixa colher pelo frio, perde as forças, cai ao chão, e acaba sendo encoberta pela neve. Foi o que aconteceu com aquela que ali estava.

A princípio, Dedolina tremeu de medo. Para quem só tinha um dedo de altura, aquela ave era gigantesca. Mas logo recobrou a coragem e agasalhou melhor a avezinha, com a coberta de palha que havia tecido. Em seguida, cobriu sua cabeça com uma folha de hortelã que ela própria usava como cobertor, deixando-a bem aquecida. Só então voltou para sua caminha.

A noite seguinte, ela de novo se esgueirou até onde estava a andorinha. Notou com alegria que a ave se sentia melhor, embora ainda estivesse muito fraca. Fazendo um esforço, ela abriu os olhos, o tempo suficiente para ver Dedolina à sua frente, tendo nas mãos o pedaço de madeira fosforescente que iluminava ligeiramente o túnel.

— Oh, criança bondosa, agradeço-lhe muito — murmurou a andorinha. — Já me sinto bem melhor. O frio passou. Logo poderei recuperar minhas forças e voar para as terras ensolaradas.

— Ainda não, andorinha — disse-lhe a menina. — A neve ainda está caindo lá fora. Se você sair, irá congelar. Fique quietinha aí em sua caminha, que vou cuidar de você.

Saindo dali, buscou água numa folha e trouxe para a andorinha. Depois de matar a sede, a avezinha contou-lhe sua história. Ela havia ferido a asa numa roseira, e não pôde voar tão rapidamente como suas companheiras, ficando para trás. Certa manhã, fizera tanto frio, que ela desmaiou — era tudo o que conseguia lembrar. Quando voltou a si, estava naquele túnel, sem saber como viera parar ali.

A andorinha passou todo o inverno naquele lugar. Dedolina cuidava dela toda noite, nada dizendo a Dona Ratinha ou ao Sr. Toupeira, pois sabia que eles não aprovariam o que ela estava fazendo.

Logo que chegou a primavera e o calor do sol derreteu a neve que cobria a avezinha, ela resolveu partir, convidando Dedolina a seguir com ela, montada em suas costas. Pensando na tristeza que isso iria causar à Dona Ratinha, a menininha agradeceu, desejando-lhe boa viagem. A andorinha compreendeu o motivo de sua recusa, e também se despediu, dizendo:

— Adeus, amiguinha querida. Até um dia...

E alçou voo, banhada pela luz do sol, piando alegremente.

Os olhos de Dedolina encheram-se de lágrimas, vendo afastar-se a linda andorinha que ela tanto amava.

— Tuí! Tuí! — piou pela última vez a avezinha, desaparecendo atrás das copas das árvores.

O coração de Dedolina encheu-se de tristeza. O trigo logo voltaria a crescer, impedindo que os raios de sol tocassem a terra e que ela pudesse desfrutar de seu calor.

— Neste verão, você vai preparar seu enxoval — disse-lhe Dona Ratinha, quando ela entrou em casa. — O Sr. Toupeira pediu sua mão em casamento. Você deve ter belas roupas de lã e peças de linho para se tornar a Senhora Toupeira!

Para ajudá-la a fazer o enxoval, Dona Ratinha contratou quatro aranhas, que trabalhavam dia e noite fiando e tecendo. Toda tarde, lá vinha o noivo fazer-lhes uma visita. Seu assunto predileto era sempre o mesmo: como seria bom quando o verão acabasse. Ele não gostava do calor do sol, que endurecia a terra, dificultando suas escavações. Mas quando o outono chegasse, aí sim, ele já estaria casado.

Aquela conversa deixava Dedolina muito infeliz. A cada dia que passava, o Sr. Toupeira lhe parecia mais desagradável e menos simpático. Diariamente, pela manhã e à tarde, ela ia à porta da casa, contemplar o nascer e o pôr do sol, alegrando-se de ver o céu azul, nos momentos em que o vento soprava mais forte, fazendo com que as folhas e as espigas de trigo se inclinassem. Como devia ser brilhante e linda a terra para onde seguira a andorinha, que ela talvez nunca mais fosse ver!

Quando chegou o outono, o enxoval estava pronto. "O casamento será dentro de quatro semanas", disse-lhe Dona Ratinha um dia. Dedolina não resistiu e começou a chorar, dizendo que não queria de modo algum tornar-se a esposa do sombrio e aborrecido Sr. Toupeira.

— Tolice! — repreendeu-a Dona Ratinha. — Pare com essa teimosia, se não quiser que lhe dê uma boa mordida! Você terá um marido excelente! O casaco de peles dele é tão elegante que nem a rainha tem um igual. E que despensa ele tem em casa! Que cozinha! Você devia era agradecer a Deus pela sorte que teve de arranjar um esposo como o Sr. Toupeira!

Chegou o dia do casamento. O noivo bateu à porta, todo sorridente. Dedolina sentiu o coração apertar-lhe no peito. Nunca mais poderia contemplar o sol. Iria morar numa casa construída bem no fundo da terra, pois as toupeiras detestam o sol. Na casa de Dona Ratinha, pelo menos lhe era permitido sair lá fora de vez em quando. Na toca onde iria morar, isso seria impossível. Desesperada, ela correu até a porta e olhou para fora. O trigo já fora colhido, e só se viam as hastes nuas apontando para o céu. Erguendo os braços na direção do sol, ela exclamou:

— Adeus! Adeus, maravilhoso sol!

Vendo uma flor vermelha sobre o chão, abraçou-a, dizendo:

— Adeus, florzinha linda! Nunca mais haverei de vê-la. Mande minhas lembranças para a andorinha, se ela acaso passar por aqui.

Nesse momento, vindo dali de perto, ela escutou:

— Tuí! Tuí!

Olhou para cima, tomada de contentamento. Era a andorinha! Ao ver Dedolina, a ave gorjeou de satisfação. Puseram-se a conversar, e a menina lhe contou que, daí a pouco, seria realizado seu casamento com o horroroso Sr. Toupeira; depois disso, adeus sol! Ela teria de ir morar com ele numa toca escura e funda. Só de lembrar isso, as lágrimas voltaram a encher-lhe os olhos.

— Aproxima-se o inverno — disse a andorinha. — É tempo de voar para as terras quentes. Por que não vem comigo? Você pode vir sentada em minhas costas, amarrando-se nelas para não cair, e assim nós voaremos para longe dessa toupeira feiosa e de sua casa tristonha. Vamos transpor as grandes montanhas e alcançar os países onde o sol brilha mais alegremente que aqui, lá onde crescem as mais lindas flores, nas terras onde é sempre verão. Venha comigo, Dedolina! Devo-lhe isso, pois você salvou minha vida quando eu estava prestes a morrer, congelada e coberta de neve.

— Então vamos! — exclamou Dedolina, sentando-se nas costas da ave e amarrando-se a uma de suas penas com o cinto de pano que trazia na cintura. A andorinha levantou voo, subiu bem alto, acima dos lagos, das florestas e das altas montanhas sempre cobertas de neve. Dedolina estremeceu ao contato do ar gelado, mas enfiou-se embaixo da penugem quente da andorinha, deixando de fora apenas a cabeça, para poder contemplar as paisagens maravilhosas que se sucediam abaixo delas.

Por fim, chegaram às terras quentes. Bem que a andorinha dissera: ali o sol brilhava mais forte, e o céu parecia estar duas vezes mais alto. Ao longo das cercas, cresciam videiras, ostentando lindos cachos de uvas verdes e azuis. Viam-se extensos pomares, com árvores carregadas de laranjas e limões. Pelas estradas, corriam lindas crianças, perseguindo borboletas multicoloridas. Mas a andorinha não se deteve ali, prosseguindo mais para o Sul, enquanto a paisagem se tornava cada vez mais bonita lá embaixo.

Perto de uma floresta que se erguia junto às margens de um lago jaziam as ruínas de um antigo templo. Suas colunas estavam revestidas de hera. Viam-se vários ninhos de andorinha no alto dessas colunas, e um deles pertencia à andorinha, que para lá voou, levando Dedolina nas costas.

— Esta é minha casa — disse a ave. — Não serve para você, pois fica aqui no alto. Escolha uma daquelas lindas flores que estão lá embaixo, e faça ali uma casinha bem bonita para você morar.

— Que maravilha! — exclamou Dedolina, batendo palmas de contentamento.

Entre os pedaços de colunas que jaziam pelo chão cresciam lindas flores, de uma alvura sem igual. A andorinha deixou Dedolina sobre uma delas. Para sua surpresa, ela viu sobre uma das flores um homenzinho branco e quase transparente. Era como se fosse feito de vidro, tendo na cabeça uma coroa dourada. Nas costas, tinha um par de asas, e era do mesmo tamanho dela. Cada flor servia de casa para um anjinho, e aquele de que ela mais gostou era o rei de todos eles.

— Como ele é lindo! — sussurrou Dedolina para a andorinha.

O reizinho assustou-se ao avistar a ave, que era muitas vezes maior do que ele. Mas, quando viu Dedolina, esqueceu o medo. Ela era a criatura mais encantadora que ele jamais havia encontrado. No mesmo instante, tirando a coroa de sua cabeça, colocou-a na dela, perguntando-lhe qual era seu nome e se ela queria ser a rainha das flores.

Esse, sim, era um marido bem melhor que o sapo horroroso ou a toupeira de casaco de peles. Dedolina logo aceitou a proposta do pequeno rei. De cada flor saiu um anjinho, trazendo um presente para homenagear sua nova rainha.

Que maravilha! Cada qual mais bonito! O melhor de todos foi um par de asas, que lhe permitia voar de uma flor para outra. Ela logo quis experimentá-las.

Aquele foi um dia muito alegre. A andorinha, de seu ninho no alto da coluna do templo, cantava para eles o melhor que podia. Mas seu coração estava triste, pois ela também amava Dedolina, e não gostava da ideia de ter de separar-se da linda menininha.

— Você não vai chamar-se Dedolina, de hoje em diante — disse-lhe o reizinho. — Que nome mais feio! A partir de agora, seu nome será — vamos ver... — Maja!

— Adeus, Maja, adeus! — disse a andorinha, saindo dali e voando para o Norte, rumo à terra de onde tinha saído. Seu ninho era na Dinamarca, junto à janela de um certo sujeito que gostava de escrever contos de fadas.

— Tuí! Tuí! — gorjeou a andorinha.

O sujeito que morava ali escutou seu canto, e foi ele que escreveu toda esta história.

OS SAPATINHOS VERMELHOS

Era uma vez uma menininha bonita e delicada, mas muito pobre. No verão, tinha de andar descalça, e no inverno era obrigada a usar sapatos de madeira muito pesados, que lhe deixavam os tornozelos vermelhos e doloridos.

Na mesma aldeia vivia uma velha viúva cujo marido tinha sido sapateiro. Nossa história começa quando ela estava costurando retalhos vermelhos, para com eles fazer um par de sapatos de pano. Dispondo dos materiais que haviam pertencido ao finado, mas não de sua habilidade naquele tipo de serviço, ela fazia o melhor que podia, mas os sapatos estavam com uma aparência bem feia. Seu plano era dá-los de presente para a pobre menininha, cujo nome era Karen.

No mesmo dia em que sua mãe foi enterrada, Karen teve o consolo de ganhar seu par de sapatos vermelhos. A cor não era lá das mais apropriadas para o luto; entretanto, como ela não tinha outros para usar, calçou aqueles mesmos. Assim, de roupas puídas, sem meias e calçada com um par de sapatos vermelhos, seguiu ela para o enterro, acompanhando o corpo da falecida, que jazia no tosco caixão dos indigentes.

Uma carruagem antiga parou para deixar que passasse o pequeno cortejo fúnebre. Vinha dentro dela uma velha senhora. Ao ver a pobre menina que seguia desconsolada o esquife, compadeceu-se de sua situação. Descendo da carruagem, alcançou o ministro que seguia à frente do cortejo e pediu:

— Deixe-me adotar essa orfãzinha, Reverendo. Prometo cuidar bem dela.

Karen achou que os sapatos vermelhos teriam sido os responsáveis por despertar a simpatia da velha senhora, mas enganou-se: ela os achou horríveis, mandando que a menina os atirasse no fogão e os queimasse. A seguir, vestiu-a com belas roupas limpas e ensinou-a a ler e a costurar. Ao vê-la, todos diziam que ela era uma criança muito bonita, mas o espelho foi além, e disse-lhe um dia:

— És mais que bonita: tu és linda!

Certa vez, a rainha resolveu percorrer o país, levando consigo a princesinha sua filha. Por onde passavam, o povo afluía às ruas para vê-las. Passando por perto da aldeia onde vivia Karen, a rainha instalou-se num castelo existente nas proximidades. A multidão correu para lá, e Karen também foi. De uma janela, a princesinha observava o povo, ao mesmo tempo em que se deixava ver, pois estava de pé sobre um tamborete. Ela não trazia coroa na cabeça, nem se trajava com excesso de pompa: vestia apenas um lindo vestidinho branco, tendo nos pés um gracioso par de sapatos vermelhos, feitos de marroquim. Eram sem dúvida bem mais bonitos e elegantes que seus antigos sapatos de pano, presente da viúva do sapateiro; o mais importante de tudo, porém, era o fato de serem vermelhos. Para a menina, era aquela cor, e não o material ou o feitio, que tornavam aqueles sapatos os mais lindos que já vira até então.

    Karen cresceu e chegou à idade de ser crismada. Era preciso comprar roupas e sapatos novos para aquela ocasião solene. A velha senhora levou-a ao melhor sapateiro que havia na cidade vizinha, e ele tirou-lhe a medida dos pés. Através das vitrines de sua loja, podiam-se ver as prateleiras cheias de sapatos e botinhas elegantes e confortáveis. A velha senhora nem se deu ao trabalho de examiná-los, pois enxergava muito mal. Mas Karen enxergava bem, e logo divisou entre os calçados expostos um par de sapatinhos vermelhos, idênticos àquele que tempos atrás havia visto nos pés da princesinha. Ah, como eram bonitos! O sapateiro disse que tinham sido feitos para a filha de um conde, mas que ela desistira de comprá-los porque os achara um pouco apertados nos pés.

— Parecem de verniz — observou a velha senhora. — Como brilham!

— São lindos! — exclamou Karen, enquanto os experimentava.

Os sapatos vermelhos eram exatamente do tamanho de seus pés; assim, a velha senhora decidiu comprá-los. Se enxergasse bem e notasse que eram vermelhos, provavelmente os teria recusado, já que aquela cor não era a mais indicada para uma cerimônia de Crisma. Mas sua visão estava bem fraca — pobre mulher! — e o brilho dos sapatos a impedira de ver sua cor.

Na igreja, todos os que ali estavam ficaram olhando para os pés de Karen, enquanto ela se dirigia para o altar. Das paredes do templo pendiam retratos dos antigos ministros e de suas esposas que ali tinham sido enterrados. Karen teve a impressão de que até aqueles rostos sisudos, que emergiam de roupas negras com colarinhos brancos, olhavam desaprovadoramente para seus sapatos vermelhos.

Quando o velho bispo impôs-lhe as mãos sobre a cabeça e lembrou o compromisso solene que ela estava prestes a confirmar — o de assumir, perante Deus, sua condição de adulta e de boa cristã —, sua mente estava longe daquelas palavras. O som do órgão encheu o templo, acompanhando as vozes suaves dos meninos do coro e a roufenha do velho chantre, mas Karen continuava pensando apenas em seus sapatos vermelhos.

À tarde, diversas pessoas fizeram questão de visitar a velha senhora, apenas para comentar sobre a cor dos sapatos que Karen havia usado na cerimônia. Ela ficou aborrecida e censurou severamente a mocinha, recomendando-lhe sempre usar sapatos pretos quando fosse à igreja, mesmo que estivessem velhos e usados.

No domingo seguinte, na hora de ir à igreja, Karen olhou para os sapatos pretos, depois para os vermelhos, mirou-os de novo alternadamente, e acabou calçando os que achava mais bonitos.

O dia estava lindo e ensolarado. A velha senhora e Karen seguiram pela estradinha de terra que atravessava o trigal, ficando com os sapatos sujos de poeira. À entrada do templo, estava postado um velho soldado inválido, apoiado em sua muleta. Sua barba era longa e ruiva, entremeada de fios brancos. Fazendo uma inclinação para a velha senhora, pediu-lhe permissão para limpar-lhe os sapatos. Karen também estendeu o pé, para que ele tirasse a poeira dos seus.

— Ahá, sapatinhos de dança! — exclamou o velho aleijado, ao vê-los. — Que beleza! Não me saiam desses pezinhos quando a dona deles estiver bailando, ouviram?

A velha senhora deu-lhe uma moeda e entrou na igreja, acompanhada por Karen.

Novamente, todos os olhares convergiram para os pés da mocinha, até mesmo os dos retratos pendurados nas paredes. Quando ela se ajoelhou diante do altar para a Comunhão e estendeu os lábios para o grande cálice dourado, enxergou nos reflexos do vinho o brilho de seus sapatos de verniz. Na hora de cantar os Salmos, ela se esqueceu de fazê-lo, tampouco movendo os lábios durante a prece do Pai-Nosso.

O cocheiro trouxe a carruagem para levá-las de volta a casa. A senhora entrou, e Karen já erguia o pé para acompanhá-la quando o velho mendigo, parado ali perto, comentou em voz alta:

— Ah, olhem ali aqueles lindos sapatinhos de dança!

Ouvindo isso, Karen ensaiou alguns passos de dança. Não que quisesse fazer isso, mas é que seus pés não conseguiam deter-se, obedecendo ao comando dos sapatos. Dançando sem parar, ela pôs-se a contornar os muros da igreja, obrigando o cocheiro a saltar da carruagem e correr em sua direção, segurando-a e erguendo-a no ar. Mesmo assim, seus pés continuavam a executar passos de dança, não parando nem mesmo quando ela já se encontrava dentro da carruagem. Quem sofreu com isso foi a velha senhora, levando nas canelas várias bicadas daqueles sapatinhos irrequietos. Finalmente, ela e o cocheiro conseguiram arrancá-los dos pés da jovem. Só assim é que eles pararam de dançar.

Ao chegarem em casa, Karen guardou os sapatos num armário, mas não resistia à tentação de olhá-los, e toda hora se esgueirava até onde estavam, fitando-os demoradamente.

A velha senhora caiu de cama. Vieram os médicos e disseram que ela não iria viver por muito tempo. Seu tratamento exigia cuidados especiais e assistência constante. E seria Karen, sem dúvida, quem iria encarregar-se dessa tarefa. Acontece, porém, que ela havia sido convidada para um grande baile que iria realizar-se na cidade. Ela olhou para a velha senhora e pensou: "Com ou sem tratamento, em breve ela haverá de morrer". Depois, foi até o armário e contemplou os sapatos longamente, já que não era pecado o simples fato de olhá-los. Sem resistir à tentação, calçou-os, já que também não havia pecado no simples fato de experimentá-los. Com eles nos pés, porém, a tentação tornou-se mais forte, e lá se foi ela para a cidade.

Karen entrou no salão, e como dançou! Entretanto, não era ela quem comandava seus pés. Se queria rodopiar para a esquerda, eles rodopiavam para a direita. Quando quis subir para o terraço, os sapatos dirigiram seus passos para a porta e levaram-na dançando pelas ruas. Em passos leves e giros graciosos, seguiu até a periferia da cidade, ganhou o campo e entrou na floresta. Queria parar, mas não podia.

Súbito, alguma coisa brilhou entre as árvores. De início, Karen pensou que era a lua, mas logo viu que se tratava de um rosto humano. Por fim, reconheceu-o: era o velho soldado inválido, de barba ruiva e longa. Curvando-se numa saudação, ele falou:

— Ah, são os lindos sapatinhos de dança!

Tomada de pavor, ela tentou arrancá-los dos pés, conseguindo apenas rasgar as meias, pois eles não saíram de modo algum. Pareciam estar grudados. E ela a dançar, sempre e sempre, através dos campos e das várzeas, com sol e com chuva, dias e noites. Era horrível, especialmente à noite, quando a escuridão invadia o mundo.

Dançando, ela entrou no cemitério, mas os mortos não vieram dançar com ela, pois tinham coisas mais importantes a fazer. Karen quis sentar-se para descansar junto à cova rasa dos indigentes, onde cresciam as ervas daninhas, mas quem disse que o conseguiu? Ao ver aberta a porta da igreja vizinha, quis entrar, mas um anjo vestido de branco, com asas tão compridas que iam dos ombros até quase tocar o chão, barrou-lhe o acesso. Seu semblante era firme e severo, e sua mão direita empunhava uma espada larga e cintilante.

— Tua sina é dançar — disse ele —, dançar sempre, deslizar pelo chão com teus sapatos vermelhos, até que percas as carnes e a cor, e que te tornes pálida e fosca, apenas pele e ossos. Sempre a dançar, irás de porta em porta, batendo nas portas das casas que abriguem crianças soberbas e vaidosas. Nessas, haverás de bater, até que elas venham atender, e se assustem com teu aspecto horrendo. Vai-te daqui, vai dançar! É tua sina! Dança! Dança sempre!

— Tende compaixão de mim! — implorou Karen, mas não pôde escutar a resposta do anjo, pois os sapatos vermelhos dirigiram seus passos para longe dali, fazendo-a cruzar campos e várzeas, estradas e ruas, becos e vielas, dançando sempre, sem nunca parar.

Certa manhã, passou dançando pela porta de uma casa que conhecia muito bem. Lá dentro, ouvia-se o som de cânticos fúnebres. A porta se abriu, deixando sair um caixão enfeitado com flores. Morrera a velha senhora que um dia a tinha adotado. Sentiu que agora seria abandonada por todos e amaldiçoada pelo anjo de Deus.

Sua sina era dançar, sempre e sempre. Os sapatos levavam-na através de pântanos e plantações, urzes e espinheiros; seus pés estavam lacerados e cheios de bolhas de sangue.

Certa vez, depois de atravessar uma charneca solitária, chegou diante de uma cabana isolada. Era ali que vivia o carrasco. Bateu com o nó dos dedos na vidraça, chamando-o:

— Saia! Venha para fora! Não posso entrar, pois não consigo parar de dançar.

O carrasco chegou à porta e disse:

— Sabe quem sou eu? Sou aquele que corta a cabeça dos maus. Sinto que meu machado está tremendo, ansioso por entrar em ação.

— Não, não me corte a cabeça — implorou Karen. — Se o fizer, não terei como arrepender-me de meus erros. Corte meus pés!

Relatou-lhe seus pecados, e ele então decepou-lhe os pés, que continuaram a dançar, sempre levados pelos sapatos vermelhos, internando-se na floresta e desaparecendo.

O carrasco, tomando de um toco, esculpiu-lhe dois pés de madeira e um par de muletas. Em seguida, ensinou-lhe a prece dos arrependidos. Depois de beijar a mão que empunhara o machado, ela se despediu e se pôs a caminho.

— Os sapatos vermelhos já me fizeram sofrer bastante — murmurou consigo mesma. — Vou à igreja misturar-me aos fiéis.

Ali chegando, viu que junto à porta estavam os sapatos vermelhos, sempre a dançar. Recuou, apavorada, fugindo para longe dali.

Durante toda aquela semana, sentiu-se invadida por uma profunda tristeza, chorando lágrimas amargas. Ao chegar o domingo, pensou: "Já muito sofri e padeci. Não sou pior do que muitas pessoas que agora estão orando na igreja, repletas de orgulho e vaidade".

Esse pensamento devolveu-lhe a coragem, e ela encaminhou seus passos trôpegos à igreja. Lá chegando, porém, viu novamente os sapatos vermelhos dançando diante da porta do templo. Outra vez ela recuou, tomada de pavor, mas dessa vez arrependeu-se de verdade, no fundo de seu coração.

Assim, bateu à porta da casa do ministro e pediu que lhe arranjassem algum serviço. Não fazia questão de pagamento, mas apenas de um teto que lhe cobrisse a cabeça e comida para matar sua fome. A mulher do ministro compadeceu-se de sua situação, mandando que Karen entrasse. Agradecida pela oportunidade, ela arregaçou as mangas e pôs-se a trabalhar com afinco. À noite, quando o ministro lia em voz alta os versículos da Bíblia, ela se sentava diante dele e o escutava atentamente. Estava sempre disposta a tomar parte nas brincadeiras das crianças da casa, que por isso gostavam muito dela. Mas quando as meninas começavam a falar sobre como queriam vestir-se e enfeitar-se para ficar lindas como princesas, meneava tristemente a cabeça, sem nada dizer.

Quando chegou o domingo, todos da casa prepararam-se para ir à igreja, perguntando a Karen se queria acompanhá-los. Os olhos da pobre criatura encheram-se de lágrimas. Olhando para as muletas, soluçou e ficou em casa, sem coragem de segui-los.

Depois que tinham saído, entrou no seu quartinho, tão pequeno que ali só cabiam a cama e uma cadeira. Sentou-se e abriu o livro de orações. O vento trouxe-lhe de longe os sons do órgão da igreja. Erguendo o rosto banhado de lágrimas, ela suplicou:

— Oh, meu Deus, ajudai-me!

Súbito, a luz do dia pareceu dobrar de intensidade, e ela viu diante de si um anjo do Senhor. Era o mesmo que tempos atrás lhe tinha barrado o acesso à igreja. Agora, em vez da espada, ele trazia nas mãos um ramo verde coberto de rosas. Tocando com esse ramo no teto baixo do cômodo, este se ergueu, deixando ver uma estrela dourada bem no seu centro. Em seguida, o anjo tocou com o ramo nas paredes, transformando o quartinho num amplo salão. À frente de Karen estava o órgão da igreja, o coro, os retratos dos ministros e de suas esposas, todos os fiéis, orando e cantando. A igreja tinha vindo até ela, ou talvez ela é que tivesse sido transportada até lá. Sentada no meio da congregação, juntou suas vozes às deles, no cântico sacro. Quando terminou e todos tiraram os olhos do livro, viram-na e sorriram, dizendo-lhe:

— Olá, Karen. Que bom que você veio!

Ela respondeu apenas isso:

— Deus teve compaixão de mim.

Hans Christian Andersen

O órgão soava, misturando suas notas às vozes suaves dos meninos do coro. A luz do sol coava-se através dos vitrais, cálida e brilhante, tocando em Karen e penetrando em seu coração. Foi tal a sua sensação de paz e felicidade que ela não resistiu, morrendo com um sorriso nos lábios. Sua alma subiu ao céu, num raio de sol. E ali ninguém lhe perguntou sobre os sapatos vermelhos.

A Princesa e o Grão de Ervilha

Era uma vez um príncipe que queria se casar com uma princesa, mas tinha de ser uma princesa de verdade! Viajou por todo o mundo para encontrá-la, mas todas que via tinham algum defeito. Princesas, havia de sobra, mas nenhuma preenchia suas exigências. Numa faltava isso, noutra faltava aquilo, e nada de encontrar a princesa "de verdade" que estava procurando. Por fim, desistiu da busca e voltou para casa, triste e abatido, sem saber se um dia haveria de encontrar aquela com quem pudesse se casar.

Uma noite, aquele reino foi abalado por uma terrível tempestade. Relâmpagos brilhavam, rugiam trovões, e a chuva despejava-se do céu. Em meio ao temporal medonho, alguém bateu à porta do castelo, e o próprio rei se apressou em abri-la.

Quem foi que bateu? Uma princesa. Deus do céu, como estava molhada! A água escorria em cachoeira pelos seus cabelos e suas roupas, entrando-lhe nos sapatos pelo calcanhar e esguichando forte pelos furinhos que havia à altura do peito do pé. E ela se apresentou, dizendo que era uma princesa de verdade.

"Isso é o que vamos ver, e bem depressa", pensou a velha rainha, sem contudo dizer uma palavra. No mesmo instante, subiu até o quarto de hóspedes e tirou tudo o que havia sobre a cama. Em cima do estrado, colocou um grão de ervilha. Depois, pôs em cima desse grão vinte colchões, e por cima deles vinte cobertores bem felpudos. E assim foi preparada a cama em que a princesa deveria passar a noite.

Pela manhã, quando lhe perguntaram se havia dormido bem, ela respondeu:

— Oh, tive uma péssima noite. Não consegui pregar o olho. Só Deus sabe o que havia naquela cama! Era uma coisa dura, que me deixou manchas roxas por todo o corpo!

Agora ninguém tinha mais dúvidas: ela era uma princesa de verdade, pois sentira o volume e a dureza de um grão de ervilha, mesmo através de vinte colchões e vinte cobertores felpudos. Só uma princesa de verdade poderia ser tão sensível assim!

O príncipe casou-se com ela, e o grão de ervilha passou a ser exibido no museu real, onde por certo vocês poderão contemplá-lo, se alguém não o roubou de lá.

Quanto a esta história, ela aconteceu de verdade!

A Filha do Rei do Pântano

As cegonhas gostam de contar histórias para seus filhotes. Em geral, são casos acontecidos nos atoleiros e pântanos, onde essas aves gostam de viver. Trata-se de narrativas simples, bem acessíveis à idade daqueles que as escutam. Assim, os menorzinhos se satisfazem com histórias bobinhas, sem pé nem cabeça, que terminam com uma frase engraçada ou uma bicadinha carinhosa na cabeça. Já os filhotes maiores não se contentam com tão pouco, exigindo um conto mais bem elaborado, com um significado mais profundo, ou então algum relato de façanhas de alguém de sua própria família.

Dentre as histórias que as cegonhas conhecem, duas são muito antigas e compridas. A primeira é a de Moisés, posto a flutuar nas águas do Nilo por sua mãe, e depois encontrado e adotado por uma princesa. Criado com carinho maternal e tendo recebido boa educação, tornou-se um grande homem. Não se sabe onde foi enterrado. Essa história, toda criança conhece.

A segunda não é muito conhecida, talvez por se tratar de uma história regional. Há milhares de anos vem sendo contada pelas mamães cegonhas a seus filhotes. À medida que vai sendo relatada, recebe alguns acréscimos e melhoramentos; desse modo, vamos ouvir agora a última versão, que é a melhor de todas.

As primeiras cegonhas que contaram esta história foram as que tomaram parte nela. Sua casa de verão era um ninho construído sobre o teto da cabana de madeira de um chefe viking que morava junto ao grande pântano de Vendsyssel, no norte da Jutlândia. Esse pântano, conforme descrevem os livros dinamarqueses de Geografia, foi outrora coberto pelo mar, tendo posteriormente aflorado à superfície. Ainda é muito extenso, mas já foi bem maior, cobrindo milhas e milhas, onde só se viam atoleiros, charcos e turfeiras. Quase não tinha árvores, mas apenas a vegetação própria dos pântanos. Uma densa neblina recobria-o quase que o tempo todo. No final do Século XVIII, ainda se viam lobos vagando por ali; imagine-se como devia ser ainda mais perigoso mil anos atrás. Seu aspecto geral, porém, ainda era o mesmo de hoje em dia: os juncos não eram maiores, e tinham as mesmas flores felpudas e folhas delgadas que conhecemos. A casca das bétulas era tão branca como hoje, e seus galhos pendiam graciosamente, tendo as mesmas folhas verdes e fininhas que tanto os embelezam. Também a vida animal não era diferente: as moscas ali estavam, incômodas como sempre, e as cegonhas ostentavam sua plumagem branca e preta, caminhando sobre pernas compridas e vermelhas. Diferentes eram as vestimentas dos homens, mas não o destino daqueles que se atreviam a penetrar no pântano: tanto há mil anos, como hoje em dia, seus pés afundariam no lamaçal, e atrás deles todo o corpo, até que as pessoas fossem dar nos braços do Rei do Pântano. É ele quem governa toda aquela extensão de charcos, lamaçais e lagos de água estagnada. O pântano tem suas regras, e é o rei quem as aplica. Se são boas ou más, não interessa — o fato é que são elas que ali vigoram.

Próximo ao pântano, junto ao litoral escarpado e rochoso que caracteriza a Jutlândia, um chefe viking edificou sua moradia. Tinha três pavimentos, uma torre de vigilância e uma ampla adega revestida de pedra. No alto do telhado, um casal de cegonhas construiu seu ninho. Mamãe Cegonha estava chocando, na certeza de que todos os ovos iriam vingar.

Certa tarde, Papai Cegonha demorou a voltar para casa. Quando chegou, disse, de olhos baixos e aparência desolada:

— Tenho algo horrível para lhe revelar.

— Então não conte! — exclamou Mamãe Cegonha. — Lembre-se de que estou chocando. Se levar um susto, posso prejudicar os ovos!

— Mas tenho de contar — insistiu Papai Cegonha. — Sabe quem veio para cá? A filha do rei daquela terra onde passamos o inverno: o Egito. Acontece que ela desapareceu!

— Quê? Aquela jovem linda, que parece uma fada? Logo ela? Vamos, conte-me tudo, tudo! Não me deixe em suspenso, pois isso não faria bem nem a mim, nem aos ovinhos.

— Pois foi isso que lhe disse. Para curar a doença de seu pai, os médicos disseram que o único remédio seria levar-lhe uma certa flor, colhida aqui nas terras nórdicas. Por isso, ela veio voando até aqui, vestida com um manto de penas de cisne. Vieram com ela duas princesas que gostam de banhar o corpo em nossas águas, na crença de que elas preservam sua juventude. Pois não é que a princesa chegou, e de repente sumiu?

— Vá direto ao assunto, criatura — reclamou a cegonha. — Estou suando frio, querendo saber o que aconteceu, e você fica aí enrolando! Sem calor no corpo, como poderei chocar os ovos?

— Então vamos lá. Você sabe que eu sempre estou atento a tudo o que acontece, não é? A noite passada, estive no pântano, naquele local de lama dura, capaz de resistir ao meu peso. Vi então três cisnes. Reparando em seu voo diferente, pensei com minhas penas: "esses aí não são cisnes, mas sim pessoas vestidas de cisne". Quem repara nos detalhes, como eu, não deixa passar despercebido um fato desses.

— Sei, sei — interrompeu a cegonha, já impaciente com tantos rodeios. — Deixe de falar nessas plumagens de cisne, que nada têm a ver com o assunto. Fale logo da princesa.

— Está certo. Sabe aquele lago que existe bem no meio do pântano, não é? Daqui mesmo se pode vê-lo, desde que se fique nas pontas das patas. Perto dos caniços que crescem junto à margem, há um tronco caído de um velho amieiro. Foi sobre ele que os três cisnes pousaram. Um deles tirou o manto de plumas que o cobria, e então reconheci quem era: a princesa que vive no palácio do Egito. Estava completamente despida, e seus longos cabelos cobriam-lhe o corpo. Voltando-se para suas duas companheiras, pediu-lhes que vigiassem seu manto, para que ela pudesse mergulhar no lago e colher uma flor que acabava de ver debaixo das águas. Então, os outros dois cisnes, ou seja lá o que fossem, tomaram o manto nos bicos e saíram voando. Não entendi por que fizeram aquilo, e a princesa também não, conforme imagino. Mas o fato é que o fizeram, enquanto ela se preparava para mergulhar, e um deles disse assim: "Mergulha, tola, nessa água escura! Nunca mais haverás de ver o Egito! Permanecerás para sempre neste pântano atroz!" E sabe o que fizeram em seguida? Despedaçaram o manto de plumas com seus bicos, e as penas caíram como flocos de neve sobre o lago! Depois, saíram voando e desapareceram ao longe.

— Que coisa mais horrível! — gemeu a cegonha. — Não suporto escutar esse tipo de coisa! Isso não me faz bem... Mas conte-me o que aconteceu depois, vamos!

— A princesa pôs-se a gritar, e suas lágrimas molharam o tronco da velha árvore caída. Ele então começou a mover-se! Não era um amieiro, mas sim o próprio Rei do Pântano, em carne e osso! De repente, já não parecia um tronco caído, mas sim um ser vivo, monstruoso, meio sapo e meio homem, com braços em lugar de galhos, enorme e de aparência terrível. A jovem princesa arrepiou de medo e tentou escapulir, saltando para a margem. Ali, porém, a lama é pouco consistente, e até eu me afundaria, se pousasse naquele lugar. Assim, ela começou a afundar, ao mesmo tempo em que a criatura desaparecia, talvez para puxá-la para o fundo do lamaçal. Bolhas brancas surgiram à superfície, logo se desfazendo. Pouco depois, tudo serenou, e a princesa desapareceu para sempre, tragada pelo atoleiro. Nunca mais poderá regressar ao Egito com a flor que veio buscar para o pai. Você não teria aguentado presenciar aquela cena pavorosa!

— E você nem devia ter me contado tudo isso! Os ovos podem desandar, e aí, nada de filhotes. Quanto à princesa, estou certa de que saberá cuidar de si, e que surgirá alguém que queira e possa ajudá-la. Com esse tipo de gente, é sempre assim que acontece. Agora, se fosse você ou fosse eu que afundássemos no atoleiro, então não tinha jeito: era morte na certa.

— Mesmo assim, irei lá de vez em quando, para ver o que acontece.

Depois de muito tempo, um talo verde aflorou à superfície do lago. Uma folha flutuante ali se desenvolveu, tendo no centro um botão. Com o passar dos dias, a folha e o botão foram crescendo, até se tornarem enormes. Certa manhã, Papai Cegonha viu que o botão se abria, transformando-se numa flor, dentro de cuja corola estava uma garotinha, parecida em tudo e por tudo com a princesa do Egito. Ele logo concluiu que aquela deveria ser a filha que ela tivera com o Rei do Pântano. E então pensou: "Essa menina não pode ficar aqui. Também não posso levá-la para meu ninho, que no momento se acha superlotado. Mas há lugar de sobra na casa do chefe viking; além do mais, sua mulher não tem filhos, coisa que a deixa muito pesarosa. Quantas vezes ouvia-a soluçar, lamentando a falta de crianças em seu lar! Ora, os humanos não brincam entre si, dizendo que são as cegonhas que lhes trazem os bebês? Posso transformar isso numa realidade, levando-lhe o filho que ela sempre quis ter. Isso haverá de fazê-la muito feliz.

A ave tomou a criancinha no bico e voou para a casa do chefe viking. Ali chegando, fez um buraco na vidraça da janela — coisa fácil de fazer, pois o que havia ali não era vidro, e sim uma bexiga de porco esticada — e depositou a criancinha ao lado da cama da mulher, que naquele instante estava dormindo. Em seguida, voltou para seu ninho, a fim de contar à Mamãe Cegonha o que acabara de fazer. Os filhotes já estavam crescidos, por isso puderam escutar todo o seu relato.

— Portanto, querida, a princesa não morreu, já que sua filhinha, por assim dizer, desabrochou perto do local onde ela desapareceu. Fiz o que achei ser certo: dei-lhe um lar.

— Não lhe disse que a princesa sempre encontraria quem quisesse ajudá-la? — interrompeu a cegonha. — Seria bom se você se preocupasse tanto com sua própria família, quanto se preocupa com a dos outros. Minhas asas já estão coçando, sinal de que se aproxima a época de migrarmos. O cuco e o rouxinol já deram o fora, e as codornizes também estão de saída. Se nossos filhotes estão aptos a voar e aprenderam bem as manobras aéreas que terão de executar, agradeça a mim, que lhes ensinei tudo isso. Se fôssemos esperar por você...

Hans Christian Andersen

A mulher do chefe viking não coube em si de alegria, ao acordar. Vendo aquela criancinha ao seu lado, tomou-a nos braços e beijou-a carinhosamente. O bebezinho pareceu não apreciar aquelas carícias, pois desatou a chorar e a espernear, que não foi brincadeira. A custo, adormeceu, enquanto sua nova mãe olhava para ela embevecida, certa de que não haveria no mundo nenhum outro bebê tão lindo e encantador.

O marido não se achava em casa. Tinha saído com seus homens para uma incursão de guerra, devendo voltar a qualquer momento. Ela logo tratou de arrumar as coisas, ordenando aos criados que polissem os escudos que decoravam as paredes e lavassem os tapetes pintados com as imagens dos deuses vikings: Odin, Thor e Frida. Os bancos foram cobertos com peles e a lareira recebeu uma grande quantidade de gravetos secos, ficando pronta para ser acesa tão logo os ausentes retornassem. Ela não se limitou a dar ordens, mas fez questão de participar de todas as tarefas, sentindo-se esfalfada ao final do dia. Assim, ao chegar a noite, deitou-se e dormiu pesadamente.

Antes que o sol despontasse, acordou, procurou pela criança e não a encontrou. A menina desaparecera! Assustada, saiu da cama e foi à sua procura. Acendeu um graveto seco para enxergar melhor, e então avistou, aos pés da cama, não a criança, mas um enorme e horrível sapo. Enojada ante aquela visão, tomou de uma acha de lenha, decidida a dar cabo do feioso animal. Mas quando viu os olhos tristonhos com que o sapo a fitava, desistiu da ideia. Foi então que o sapo coaxou, emitindo um som tão comovente, que a mulher até arrepiou. Vendo que o sol já despontava, ela abriu as janelas, deixando que seus raios penetrassem no aposento. Ao tocarem no local onde o sapo se encontrava, o animal foi modificando seu aspecto, tomando aparência de gente, até se transformar na criancinha do dia anterior.

— Que coisa mais fantástica! — gritou a mulher. — Devo ter tido algum pesadelo. Aqui está meu bebezinho lindo!

Tomou-o nos braços e beijou-o ternamente, estreitando-o junto ao coração. Para quê! O bebê reagiu como se fosse uma gata selvagem! Chiou, esperneou, unhou e mordeu, como se estivesse louco!

O chefe viking não chegou aquele dia, nem no seguinte. Estava voltando para casa, mas o vento que soprava em direção ao Sul impedia que seus navios avançassem rapidamente. Entretanto, esse mesmo vento favorecia a migração das cegonhas. O que é benéfico para uns, pode ser prejudicial para outros.

Nesse ínterim, a mulher chegara à conclusão de que aquela criança estava enfeitiçada. De dia, era linda como uma fada, mas dotada de uma índole selvagem e má; de noite, transformava-se num sapo horrendo, mas de olhos tristonhos e de temperamento tranquilo e passivo.

Essa transformação sofrida pela criatura que a cegonha trouxera devia-se às duas naturezas que existiam dentro dela. De dia, sua aparência exterior lembrava a de sua encantadora mãe, mas o temperamento era o do pai, selvagem e agressivo. De noite, invertiam-se as coisas: seu corpo assumia o aspecto horrendo do Rei do Pântano, enquanto seu interior adquiria o caráter doce e bondoso da princesinha do Egito.

A esposa do chefe viking estava preocupada, sem saber como agir. No fundo, amava aquela criaturinha que lhe fora dada de presente. Estava decidida a não revelar ao marido aquele segredo, receosa de que ele a atirasse aos lobos para ser devorada — era assim que os vikings agiam com relação às crianças que nasciam defeituosas. A pobre mulher tinha intenção de só deixar que ele visse a criança de dia, em sua forma humana, escondendo-a dele quando chegasse a noite.

Um belo dia, ao amanhecer, ouviu-se o ruflar das asas das cegonhas. Elas tinham repousado nos dias anteriores, preparando-se para a sua longa migração, e agora estavam prontas para iniciar seu voo rumo às terras do sul. Eram mais de duzentas cegonhas, preparadas para a partida.

— Todos prontos? — perguntou a cegonha-chefe. — Fêmeas e filhotes, fiquem ao lado dos maridos e pais!

— Sinto-me tão leve — comentou um dos jovens para seu irmão. — É como se houvesse uma porção de rãzinhas subindo e descendo ao longo de minhas pernas. Ah, que maravilha deve ser viajar!...

— Guardem seus lugares — ordenavam as mães e os pais. — E evitem conversar, porque isso tira o fôlego e prejudica o desempenho.

Poucos minutos depois, o bando alçou voo.

Nesse momento, ouviu-se o som dos chifres de caça. As embarcações dos vikings estavam chegando. Vinham repletas de presas e despojos. Acabavam de voltar das costas da Gália, cujos moradores, assim como os da Terra dos Anglos, rogavam aos céus: "Livrai-nos desses selvagens guerreiros do Norte!"

Uma grande celebração teve lugar no salão da casa do chefe, construída nas proximidades do grande pântano. Levaram para lá um barril de bebida, e acenderam uma grande fogueira. Cavalos foram abatidos, e seu sangue, ainda quente, foi espargido sobre os novos escravos aprisionados, em homenagem a Odin — era assim o batismo, entre aqueles pagãos. A fumaça produzida pela fogueira formava uma camada de fuligem sobre as traves do teto, sem que ninguém se importasse com isso.

A casa estava cheia de convidados, e cada qual recebia um precioso presente. Velhas desavenças foram esquecidas, e ninguém se lembrou das promessas quebradas. Todos comiam e bebiam sem cerimônia, atirando os ossos roídos na cara dos vizinhos, gesto considerado engraçado, senão mesmo galante entre eles. Pediram ao trovador que cantasse algumas baladas, falando sobre suas recentes aventuras. Esse poeta — skjald[3], como o chamavam — era guerreiro também. Participara da incursão, como os outros, e conhecia os assuntos sobre os quais compunha seus versos e canções. Estivera junto com os outros vikings na hora do perigo e das batalhas, sabia do que falava. Por isso, seus versos traziam-lhe de fato prazer e entusiasmo. E sempre terminavam com as mesmas palavras:

> Esvai-se a riqueza,
> Morrem os amigos;
> Tudo o que hoje existe desaparece,
> Menos a grandeza
> Que arrosta os perigos,
> Pois um feito heroico jamais perece.

Dito isso, os guerreiros entrechocavam suas facas, ou batiam nos escudos com os ossos que acabavam de descarnar, de modo que o barulho podia ser ouvido ao longe.

A esposa do chefe estava sentada no banco reservado às mulheres, trajando seu vestido de seda, tendo nos braços ricos braceletes de ouro, e no pescoço um colar de âmbar. O skjald não se esqueceu de mencioná-la em seus versos, referindo-se ao presente que ela acabava de dar para seu rico e famoso esposo. Realmente, o chefe havia ficado satisfeito de ver a criança, não se importando com seu temperamento selvagem, mas antes apreciando-o e rindo de sua braveza. Depois de receber uma boa unhada e uma mordida bem aplicada, dera gostosas gargalhadas, comentando:

— Gostei de você, menininha brava! Quando crescer, vai tornar-se uma valquíria, e vai guerrear tão bem como um de meus homens. Não vai assustar-se com o tinido das espadas, nem com o zunido das clavas, no calor das batalhas!

---
3 Escaldo ou Poeta, palavra utilizada na antiga Escandinávia para denominar aqueles que compunham a poesia escáldica.

Quando o barril de bebida se esvaziou, trouxeram outro para a sala. Como bebiam aqueles homens! Pareciam nem se lembrar de seu próprio provérbio, que dizia: "O gado sabe a hora de parar de pastar, mas um homem insensato desconhece o tamanho de seu próprio estômago." Quando bebiam, mostravam claramente que a sensatez não era o seu forte. Tinham também um outro provérbio, que costumavam igualmente esquecer nas ocasiões de festas: "O amigo é bom quando o visita; é melhor quando vai embora cedo, antes de tornar-se importuno". Enquanto durasse a comida e a bebida, eles dali não arredavam o pé, permanecendo naquela casa por dias e dias seguidos!

Naquele ano, os vikings ainda saíram para outra incursão guerreira; dessa vez, mais curta, indo até às costas da Terra dos Anglos, que é a Inglaterra de hoje. Novamente ficou a mulher sozinha com a sua filha adotiva. Nessa ocasião, porém, seu amor estava mais voltado para o sapo de olhos tristonhos e amáveis, do que para a garotinha selvagem que só sabia morder e espernear.

A cerração de outono, que, mesmo não tendo boca, mordia e roía as folhas das árvores, cobria toda a paisagem. Os primeiros flocos de neve começaram a cair. Avizinhava-se o inverno. Os pardais já haviam tomado posse dos ninhos das cegonhas, zombando dos donos e chamando-os de covardes, por não se atreverem a enfrentar o mau tempo. Que teria sido feito do casal de cegonhas e dos seus filhos? É o que vamos ver a seguir.

Aquela família de cegonhas estava então no Egito, onde o sol do inverno é tão quente quanto o do verão, na Dinamarca. Os tamarindos e acácias estavam em flor. Sobre a cúpula da mesquita, brilhava a lua crescente, o símbolo dos seguidores de Maomé. No alto daquelas torres altas e delgadas, casais de cegonhas descansavam da longa viagem que acabavam de realizar. Outros preferiram construir seus ninhos nas ruínas dos templos abandonados, que outrora regurgitavam de gente, mas que agora estavam desertos e esquecidos. As tamareiras ostentavam suas folhas largas, como se fossem gigantescos guarda-sóis. As silhuetas das pirâmides acinzentadas pareciam estar desenhadas na atmosfera límpida do deserto. Ali, a avestruz demonstra que sua incapacidade de voar é compensada pela velocidade da corrida, enquanto o leão, com seus olhos tristonhos e pensativos, contempla a esfinge de mármore semienterrada na areia. Era tempo de vazante, e o leito lodoso do Nilo fervilhava de rãs. Não podia haver visão mais prazenteira para uma cegonha. Os jovens, que iam ao Egito pela primeira vez, acreditavam ser uma ilusão de ótica, uma miragem, de tão extasiados que estavam ante aquele espetáculo.

— Não! — exclamou a mãe. — Podem crer, meus filhos, isso é real. Aqui é nossa residência de inverno, e o que estão vendo existe de verdade.

— Não vamos prosseguir viagem? — perguntou um dos filhos. — Não há mais nada para ver?

— Claro que há — respondeu a mãe. — Mais além, estende-se a selva africana, exuberante, impenetrável. As árvores ficam juntinhas umas das outras, e o chão está coberto de espinheiros. Somente os elefantes, com sua pele grossa e suas patas largas, entram no meio desses espinhais. As serpentes são grandes demais para que as possamos comer, e os lagartos muito ágeis para que os possamos apanhar. E se seguirem na outra direção, penetrando no coração do deserto, enfrentarão as tempestades de areia, que incomodam demais a vista. Assim, o melhor é ficarmos por aqui mesmo, onde há fartura de rãs e gafanhotos. É o que vamos fazer.

E ali ficou a pequena família das cegonhas. Os mais velhos encontraram um ninho no topo de um minarete, e era ali que descansavam, alisando as penas e afiando os bicos contra suas longas pernas vermelhas. Quando outras cegonhas passavam por perto, erguiam as cabeças e dirigiam-lhes um cumprimento distinto e cortês. O resto do tempo, ficavam contemplando a paisagem, com seus olhos pardos que pareciam reluzir inteligentemente. As fêmeas mais novas gostavam de passear pelo brejo, palestrando com as amigas e comendo uma rã, a cada três passos que davam. Consideravam elegantíssimo desfilar com uma cobrinha presa ao bico, antes de devorá-la. Ah, que petisco saboroso! Já os machos jovens divertiam-se lutando uns contra os outros. As asas ruflavam, e os bicos se entrechocavam, buscando beliscar a carne do oponente. Os duelos não eram mortais, mas de vez em quando o sangue jorrava das feridas mais profundas.

Depois de algum tempo, novos casais se formavam, conforme ordenava a natureza. Os pares construíam seus ninhos, e ali trocavam carícias, ou mesmo algumas bicadas, de acordo com o estado de espírito do momento. Nos países de clima quente, todos ficavam mais expansivos e calorosos, mas toda aquela agressividade não passava de aparência, pois, no fundo, todos estavam se divertindo. Já as cegonhas mais velhas preferiam ficar vigiando tudo e todos, orgulhando-se especialmente daquilo que diziam e faziam os membros de sua própria família.

Os dias sucediam-se, sempre iguais: o sol brilhava, a comida era abundante, e a única coisa a fazer era curtir a vida.

No palácio real, porém, a vida não era divertida. O soberano quedava-se parado como uma múmia em seu divã, no meio do grande salão de reuniões. As paredes eram cobertas de pinturas murais, dando a impressão de que se estava no meio de uma gigantesca tulipa. Criados e cortesãos rodeavam-no solicitamente, dirigindo-lhe perguntas e oferecendo-lhe seus préstimos. Ele não dava sinal de si. Morto, não estava, mas não se podia dizer que estivesse vivo. O lírio-d'água das terras nórdicas, que poderia devolver-lhe o ânimo, não lhe fora trazido. Sua jovem e bela filha tinha ido buscá-lo, vestindo-se de cisne e transpondo o oceano e as cordilheiras; entretanto, não pudera regressar. As duas princesas que tinham ido com ela voltaram ao Egito, espalhando a terrível notícia:

— A princesinha morreu! Desapareceu para sempre!

Escutem como foi a história que elas contaram:

— Estávamos voando, nós três, quando um caçador nos avistou e disparou uma flecha em nossa direção. A princesinha foi ferida e caiu num lago. Ouvimos sua voz, cantando adeus para nós. Era seu canto-de-cisne. Descemos, tomamos seu corpo e o enterramos sob uma bétula. Planejamos uma vingança: amarramos um pavio aceso sob as asas de uma andorinha, que tinha feito seu ninho no telhado da casa daquele caçador desalmado, e depois a soltamos. Ela voou para o ninho, que logo se queimou. O fogo espalhou-se por toda a casa. Sem tempo de fugir, o caçador morreu queimado. As chamas subiram tão alto que puderam ser vistas de onde a princesinha estava enterrada. Feito isso, voltamos para cá. Foi uma pena não termos podido trazê-la de volta. Naquela terra selvagem, repousam seus ossos, juntamente às suas esperanças, que também eram as nossas.

E as duas puseram-se a chorar, dando gritos lancinantes. Papai Cegonha, escutando tudo aquilo, ficou furioso e começou a bater o bico, ameaçando:

— Quanta mentira! Estou revoltado! Vou perfurá-las com meu bico, para que aprendam a contar a verdade!

— Deixe de dizer asneiras — repreendeu Mamãe Cegonha. — Se fizer isso, só vai conseguir ficar com o bico quebrado! E de que vale uma cegonha com meio bico? Pense um pouco mais em si e em sua família. O que acontece aos humanos não é de sua conta.

— Amanhã os sábios da corte vão se reunir para tratar da doença do rei. Quero escutar o que irão dizer. Quem sabe irão chegar mais perto da verdade?

No dia seguinte, houve a tal reunião. Sábios e doutores falaram, durante horas e horas. Papai Cegonha quase não compreendeu o que diziam, tantas eram as palavras difíceis que usavam. Como gostaria de poder ajudar o soberano doente e sua filha perdida no grande pântano! Vamos escutar um pouco do que discutiram naquela reunião? Isso faz parte do aprendizado da vida, pois uma vez ou outra cada um de nós terá de passar por esse tipo de experiência. Mas não vamos repetir tudo o que ali foi dito, só uma ou outra coisa mais importante. A frase que mais impressionou Papai Cegonha foi essa:

— O amor engendra a vida. Quanto mais sublime o amor, mais sublime será a forma de vida que ele engendrará. E é apenas pela intervenção do amor que nosso soberano poderá recuperar seu ânimo vital.

Todos aplaudiram esse pensamento, depois que o sábio encerrou suas palavras. Papai Cegonha também concordou com elas, repetindo-as para Mamãe Cegonha, e comentando:

— Belo pensamento, não acha?

— Não entendi nada, e estou pouco me lixando para isso — replicou sua esposa. — Tenho coisas mais importantes para me preocupar.

Depois daquela frase, os sábios e doutos passaram a discutir as diferentes formas de amor: a que sentem entre si os amantes, a que os pais dedicam aos filhos, e mesmo as mais complexas, que têm lugar entre a luz e as plantas, e que se manifesta quando os raios de sol beijam a terra fecunda, provocando o rompimento das sementes. Nessa parte da discussão, os sábios se esmeraram no emprego de palavras difíceis, muito além da compreensão da pobre ave, que nem pôde repeti-las para Mamãe Cegonha, por não se lembrar de quais eram. Na tentativa de recordá-las, ficou quieto durante um dia inteiro, de olhos semicerrados, apoiado numa só pata. Erudição excessiva é muito difícil de ser absorvida.

Uma coisa, porém, ele tinha entendido muito bem, pois a escutara várias vezes, dita tanto pelos cortesãos como pelas pessoas do povo. Eram palavras saídas do coração; por isso, nada tinham de complicado ou incompreensível. Todos concordavam em que a doença do soberano representava um terrível desastre para a nação, e que sua cura seria uma bênção para todos eles. Mas onde estaria aquela flor capaz de devolver-lhe a saúde? Essa era a questão em que todos davam tratos à bola para resolver, um ano antes do início desta história. Foram consultados os livros, as estrelas, o tempo, as nuvens. "A vida deriva do amor", repetiam os sábios, mas isso de nada valia para trazê-la de volta ao seu soberano. Por fim, concordaram todos em que somente a princesa poderia curar seu pai, pelo tanto que o amava. Fora assim que, naquele ano, a princesa tinha ido à esfinge, numa noite de lua nova, retirado a areia que cobria a base da estátua e caminhado através dos longos corredores subterrâneos, até alcançar o centro de uma das grandes pirâmides. Ali jazia a múmia de um faraó dos velhos tempos. Ela penetrou na câmara mortuária e encostou a cabeça no grande caixão parecendo um estojo, que encerrava a múmia. Foi então que escutara a revelação de como deveria agir para devolver ao pai a saúde perdida.

Fizera em seguida o que lhe tinha sido ordenado, indo buscar a flor de lótus que devolveria ao pai a saúde. Para tanto, teria de mergulhar no lago escuro do pântano e colher a primeira flor que lhe tocasse o seio. Por isso, havia retirado o manto de plumas, despindo-se para executar sua missão.

Tudo isso, como disse, havia ocorrido um ano antes do início desta história. As cegonhas tinham conhecimento de toda essa aventura, que, agora, vocês também já sabem. Já lhes contei o que aconteceu depois: como foi que o Rei do Pântano tinha raptado a princesa, levando-a para seu castelo. Mamãe Cegonha achava que a princesa deveria cuidar de si própria, opinião compartilhada pelo mais sábio de todos aqueles que acabavam de se reunir. Enquanto isso, Papai Cegonha propunha:

— Acho que devemos roubar os mantos de cisne das duas princesas traidoras. Elas não precisam mais deles, mas talvez a princesinha precise, caso ainda esteja com vida. Vou escondê-los conosco, até que surja a necessidade de usá-los.

— Onde é que você pensa escondê-los? — perguntou Mamãe Cegonha.

— Em nosso ninho perto do pântano, lá na Dinamarca. Nossos filhos ajudarão a carregá-los. Como são muito pesados, vamos deixá-los no meio do caminho, terminando o transporte no ano que vem. Talvez bastasse levar só um manto, mas você sabe como são as coisas lá no Norte: quanto mais roupas, melhor.

— Acho muito maluca essa sua ideia — replicou a cegonha —, mas que posso fazer? Você é o chefe da família, e é quem profere a última palavra. Minhas opiniões só são levadas em conta na ocasião da postura de ovos. Fora disso, ninguém me escuta...

Voltemos à casa do chefe viking, perto do grande pântano. A menina adotada ali está, sentada na sala. Deram-lhe um nome: Helga. Seu caráter agressivo não combinava com esse nome tão doce. Passaram-se os anos desde que ela ali chegou. Nesse meio-tempo, as cegonhas migraram e retornaram várias vezes, indo para o Egito no final do outono, e regressando à Dinamarca no início da primavera. Helga já estava com dezesseis anos. Por fora, era linda; por dentro, dura e cruel. Mesmo naqueles tempos de ferocidade e selvageria, sua agressividade dava o que falar. Sua maior diversão era lavar as mãos no sangue dos cavalos sacrificados em honra de Odin. Certa vez, presenciando o sacrifício de um galo preto, que seria oferecido ao deus Thor, irritou-se com a demora e, antes que a faca do sacrificador cortasse o pescoço da ave, ela própria arrancou-lhe a cabeça, com uma dentada. Por uma bofetada que o pai lhe aplicara anos atrás, guardara forte rancor, costumando dizer-lhe, quando enfurecida:

— Podem seus inimigos virem até aqui arrancar o teto desta casa, que nada farei para acordá-lo. Ficarei quieta e calada, pois meu rosto ainda está ardendo por causa daquele tapa que você me deu.

O chefe viking ria daquelas explosões de cólera, não acreditando que ela tivesse coragem de fazer aquilo. A seu modo, tratava-a com carinho, e não enxergava nela senão virtudes e beleza. Sua esposa tinha sabido ocultar-lhe o terrível segredo da transformação noturna da menina.

Helga era excelente amazona. Quando montava, ela e o cavalo formavam um único ser. E se acaso sua montaria resolvia lutar contra um outro cavalo, mantinha-se firme na sela, rindo satisfeita, enquanto os dois animais trocavam coices e mordidas.

Ao ver que os guerreiros estavam regressando de alguma incursão, mergulhava nas águas frias do mar e nadava agilmente até a embarcação, a fim de saudá-los antes de desembarcarem. Outra coisa que fazia era arrancar os fios de seus cabelos para com eles fabricar arcos de atirar flechas. A quem estranhava esse procedimento, retrucava:

— O cabelo é meu, e faço com ele o que quiser. Se achar ruim, faço com os seus.

Sua mãe de criação, a mulher viking, não era nenhuma dama emproada e frágil, mas sim uma mulher decidida e ativa. Em relação à filha, no entanto, procedia com timidez e não usava de pulso firme, talvez penalizada com o terrível destino daquela infeliz criança. Helga gostava de atormentá-la, inventando mil diabruras, só pelo prazer de ver a cara assustada que a pobre mulher fazia. Se estava perto da cisterna e via sua mãe avizinhar-se, fingia que estava caindo lá dentro, gritando por socorro. A mãe corria, apavorada, e ao se debruçar à beira da cisterna, via Helga lá no fundo, boiando tranquilamente e rindo do susto que acabava de lhe pregar. Então, escalando as paredes de pedra da cisterna, com a agilidade de uma rã, saía de lá ensopada e entrava pela casa adentro, pingando água da roupa e molhando as folhas secas que era costume espalhar no chão, para servirem de tapete.

Na hora do lusco-fusco, quando o sol estava prestes a desaparecer, Helga mudava de atitude, tornando-se quieta e pensativa. Nesses momentos, não mais agredia as pessoas, portando-se de maneira respeitosa e obediente, e escutando tudo o que lhe diziam. Seguia atrás da mãe, entrava no quarto e, quando o sol acabava de se pôr, seu aspecto exterior modificava-se, assumindo a forma e as feições de um sapo de corpo comprido, que melhor seria descrito como se fosse um anão horrendo, com cara, mãos e pés de sapo. No meio daquela carantonha repulsiva, porém, brilhavam dois olhos ternos e tristonhos. O pequeno monstro não falava, apenas coaxava de vez em quando, emitindo um som que lembrava o soluço de uma criança adormecida. A mãe adotiva, nesses momentos, tomava-o no colo e, sem se importar com sua aparência pavorosa, olhava-o dentro dos olhos tristes e lhe segredava:

— Preferia que você fosse sempre meu sapinho calado e bondoso, e nunca mais se transformasse naquela menina linda, mas de alma terrível. Ela, sim, é que me assusta; você, não.

E a mulher rogava aos deuses da sua religião que desfizessem o encanto maléfico daquela pobre criatura, sem nada conseguir.

— Ninguém jamais poderia imaginar que ela iria tornar-se tão pequena, a ponto de caber na corola de um lírio-d'água — disse Papai Cegonha. — Agora, aquele minúsculo ser cresceu, transformando-se numa mulher de verdade, em tudo e por tudo idêntica à sua mãe, a princesa do Egito, cujo paradeiro desconhecemos. Assim como você errou, também erraram os sábios egípcios: ela não podia cuidar sozinha de si própria. Durante todos estes anos, tenho voado por aí, cruzando o pântano em todas as direções — nem sinal dela. Lembra-se daquela noite em que tive de reparar o ninho, que ameaçava desabar? Depois que terminei o serviço, tendo perdido o sono, pus-me a voar por aí, como se fosse uma coruja ou um morcego, e fui até o lugar onde a princesa havia desaparecido. Nada vi. Os mantos de plumas que trouxemos três anos atrás continuam inúteis, e acho que jamais serão usados. Até já nos acostumamos a tê-los como forro do nosso ninho. Se esta casa de madeira pegar fogo, e nosso ninho também arder, adeus mantos...

— Lamentarei antes a perda do nosso ninho do que a desses tais mantos — replicou Mamãe Cegonha, aborrecida. — Onde já se viu preocupar-se mais com essas porcarias feitas de penas, e com essa tal de princesa do brejo, do que com sua própria família? Já que gosta tanto dela, por que não mergulha no lago e fica lá para sempre? Você não é um bom marido, e nem um bom pai, e não é a primeira vez que lhe digo isto. Temos tido a sorte de que a filha dela, a viking maluquinha, ainda não tenha atirado flechas contra um de nossos filhos. Que mocinha da pá virada! Parece desesperada! Não sente o menor respeito por nós, que somos de uma família antiga e tradicional, e que moramos aqui há muito mais tempo que ela! Esquece que pagamos nosso imposto anual: uma pena, um ovo e um filhote. Morro de medo dela. Quando a vejo por perto, não me atrevo a sair do ninho. Há tempos não pouso ali embaixo, no pátio, para pegar algum petisco deixado nos potes e panelas. Qual o quê! Fico quietinha aqui no meu canto, cada vez mais irritada com aquela sirigaita, e com você também. Que ideia a sua, de querer bancar o herói, retirando o bebê que viu naquele lírio-d'água! Fez o que não era de sua conta, e agora fica aí, preocupado, tentando resolver um problema que não é seu.

— Sei que, no fundo, você não pensa assim — retrucou Papai Cegonha. — Conheço-a muito bem, melhor do que você mesma.

Dito isso, deu um pulinho, bateu as asas duas vezes e deixou-se levar pela brisa que soprava. Depois de planar um pouco, voltou a bater as asas e desferiu um círculo sobre o ninho. A luz do sol bateu em cheio sobre suas penas alvas, realçando sua silhueta elegante, com o pescoço e o bico apontados para a frente. A mulher contemplou-o, orgulhosa de sua bela figura, e murmurou baixinho, sem que pudesse ser ouvida:

— É o mais bonito de todos; ah, se é! Mas nunca há de saber que é isto o que eu acho.

Os vikings regressaram de sua incursão logo no início do outono. Entre os prisioneiros, havia um sacerdote cristão, um daqueles que combatiam o culto a Thor e Odin. A nova religião, à qual muitos moradores das terras do Sul já se haviam convertido, era por vezes motivo de discussão entre os guerreiros da tribo e as mulheres da casa. Um sujeito chamado Ansgar, o Santo, andava ali por perto, nas cercanias de Hedeby e de Slien[4], pregando a nova ideia. Até Helga já ouvira falar de Cristo, que dera sua vida por amor aos homens. Mas aqueles comentários tinham entrado por um ouvido e saído pelo outro. A palavra "amor" nada significava para ela, a não ser à noite, quando se transformava em sapo e se mantinha quieta e pensativa, trancada em seu quarto. Já sua mãe adotiva tinha ficado muito impressionada ao ouvir os relatos acerca da vida daquele estranho homem que era considerado o Filho de Deus.

Os guerreiros recém-chegados descreveram os templos construídos em honra daquele Deus que pregava a mensagem do amor. De um deles, tinham

---

4 Slien: também chamado de Schlei, uma entrada estreita para o mar Báltico, no norte da Alemanha.

trazido dois estranhos vasos de ouro, cheios de inscrições e desenhos artísticos, dos quais emanava um perfume exótico, produzido por certas especiarias desconhecidas. Eram turíbulos, dentro dos quais se queimava incenso. Os sacerdotes cristãos agitavam aqueles vasos diante de seus altares, espargindo no ar aquela fumaça aromática. Estranhos altares aqueles: neles não se faziam sacrifícios de sangue, mas apenas se ofereciam pão e vinho, dizendo que eles se transformavam na carne e no sangue Daquele que dera a Sua própria vida, por amor aos homens das gerações que ainda não haviam surgido neste mundo!

O jovem sacerdote cristão foi levado para a adega de pedra da casa do chefe viking, ali ficando preso, com as mãos e os pés amarrados. Era um rapaz bem-apessoado, "bonito como um deus", conforme o definiu a mulher do chefe.

Sua situação aflitiva não comoveu Helga. Ao contrário, o que ela sugeriu foi que lhe dessem morte atroz, perfurando-lhe as pernas, passando dentro delas uma corda e amarrando-a à cauda de um touro, para que o animal arrastasse o infeliz prisioneiro.

— Basta soltar os cachorros para que o touro dispare pela campina, puxando-o atrás de si. A gente segue atrás, a cavalo. Ah, vai ser muito divertido!

Nem os bárbaros vikings teriam imaginado uma pena tão cruel. Mas o jovem devia morrer, pois havia ofendido os deuses. Assim, seria oferecido a eles em sacrifício, para aplacar sua cólera. A cerimônia seria realizada num pequeno altar erigido em homenagem a Odin, situado no interior de um bosque. Era a primeira vez que ali seria realizado um sacrifício humano.

A jovem implorou que lhe concedessem o privilégio de espargir o sangue ainda quente do sacrificado sobre as estátuas dos deuses. Conseguida a permissão, pôs-se a afiar sua faca numa pedra. Nesse instante, passou por perto de um cão, dos muitos que existiam nas proximidades da casa. Com um golpe certeiro, Helga cravou-lhe a faca no ventre, matando-o incontinente. Aos que se assustaram com seu procedimento, explicou, rindo:

— Foi só para experimentar se a faca estava mesmo bem afiada.

A mãe sentia verdadeiro horror por aquela mocinha tão má. À noite, quando seu corpo e seu coração se metamorfoseavam, a mulher se lembrava das terríveis maldades praticadas por Helga, comentando-as com o monstrinho, que a fitava com olhos tristonhos e arrependidos, como se fato entendesse tudo o que ela lhe dizia.

— Ninguém, nem mesmo meu marido — queixava-se ela —, tem conhecimento de quanto você me faz sofrer duplamente. Nunca pensei que pudesse sentir tanta pena de alguém como sinto de você. De dia, seu coração é insensível, e nunca sentiu amor por quem quer que fosse. Sim, você deve ser feita da lama dura, negra e fria do pântano! Por que será que você veio parar em minha casa?

A deprimente criatura estremeceu, como se aquelas palavras tivessem tocado a corda invisível que liga a alma ao corpo. Grossas lágrimas formaram-se em seus olhos. A mãe prosseguiu com seu lamento:

— Vêm aí tempos difíceis para você, e para mim também. Melhor teria sido abandoná-la ao relento, quando ainda era bebê, deixando que o ar frio da noite acalentasse seu sono.

Um pranto amargo interrompeu suas palavras. Levantando-se, caminhou até a cama, que ficava atrás de uma cortina de couro que servia de divisória no quarto. Seu coração estava cheio de amargura e ressentimento.

Sentindo-se desamparado, o pequeno monstro sentou-se em seu canto, afundando a cabeça de sapo entre os braços. Soluços abafados passaram a sair de seu peito, como se a pobre criatura estivesse chorando, arrependida. De repente, levantou a cabeça, como se alguém a chamasse. Arrastando-se pelo chão, chegou à porta e, com dificuldade, removeu a tranca que a fechava. Com as mãos membranosas, segurou uma vela que ardia sobre a mesa, seguiu até o alçapão que levava à adega, destrancou-o e desceu as escadas, silenciosamente. Num canto do cômodo subterrâneo, estava dormindo o sacerdote cristão aprisionado. Tocou-o com sua mão fria e pegajosa. O sacerdote acordou e, ao ver diante de si aquela criatura monstruosa, estremeceu, acreditando tratar-se de algum espírito maligno. O sapo tomou de uma faca e cortou as cordas que o prendiam, fazendo-lhe um sinal com a mão, para que o seguisse. O sacerdote murmurou os nomes de todos os santos de que se lembrou, fazendo cruzes com a mão, a fim de exorcizar o monstro, que todavia continuou ali, parado à sua frente, sempre acenando para que ele o acompanhasse. Lembrando-se das palavras do Livro dos Salmos, o jovem sacerdote lhe disse:

— "Bendito seja aquele que sente comiseração pelos pobres. O Senhor o livrará, no tempo da aflição". Quem és, afinal? Como pode alguém, tão cheio de misericórdia no coração, ter um aspecto tão monstruoso?

O sapo não respondeu, repetindo seu gesto e levando-o através de um corredor que dava no estábulo. Ali chegando, apontou para um cavalo. O sacerdote tirou o animal do estábulo, levou-o para fora em silêncio e montou. Com surpreendente agilidade, o sapo também montou, sentando-se à frente e segurando a crina do cavalo. O sacerdote compreendeu que seu estranho companheiro queria guiá-lo em sua fuga, e deixou-o dirigir a cavalgadura. Em breve, estariam em pleno campo, bem distante da casa do chefe viking.

Para louvar o Senhor, cuja graça e misericórdia se haviam manifestado por meio daquela estranha criatura, o sacerdote orou e entoou um hino. O sapo estremeceu ao escutar aquelas palavras. Será que teriam tocado seu coração? Ou seria um tremor decorrente do medo, já que o sol dava indícios de estar prestes a raiar? Que se passava com ele? Logo em seguida, o sapo retesou-se e puxou o freio do animal, fazendo-o deter-se. Ia desmontar. Ao notar isso, o sacerdote entoou outro hino sagrado, na esperança de quebrar o encanto do qual, tinha certeza, aquela criatura estava possuída. O sapo largou o freio, e o cavalo voltou a galopar.

O horizonte começou a clarear. Em pouco, o primeiro raio de sol rompeu o véu de nuvens baixas. No mesmo instante, o monstro metamorfoseou-se, voltando a ser a bela jovem de coração insensível. O sacerdote ficou estarrecido, ao ver que tinha junto de si não o monstro de aspecto repulsivo, mas uma beldade de aparência sedutora. Estacando o cavalo, desmontou, convencido de que as forças do Mal estavam pregando-lhe uma peça. Helga também apeou e, sacando da faca que trazia no cinto, avançou sobre ele, decidida a matá-lo.

— Vou picá-lo todo com esta faca, idiota! — gritou, enquanto tentava atingi-lo. — Quero ver o sangue tingir essa pele desbotada!

O sacerdote esquivou-se do golpe e recuou até junto de um regato. Helga avançou em sua direção, mas seu pé ficou preso na raiz de uma árvore, fazendo-a cair ao chão. Imediatamente, ele mergulhou a mão na água cristalina e, fazendo o sinal-da-cruz na testa, nos lábios e no peito da jovem, ordenou ao espírito imundo que saísse, batizando-a em nome de Nosso Senhor Jesus Cristo. Pena que a água do batismo não tenha poder sobre a criatura destituída de fé.

Se a ela faltava, ao sacerdote sobrava aquela fé, e Helga logo o notou, sentindo-se fascinada pelo destemor com que o moço a enfrentava, logo ele, pálido, de barba raspada e cabelos tosados. Imaginou que se tratasse de um mágico poderoso, conhecedor de encantamentos e sortilégios. Suas preces e cânticos soaram para ela como fórmulas de enfeitiçamento, e o sinal-da-cruz como terrível bruxaria. Nesse momento, não teria forças para reagir, caso ele resolvesse tomar-lhe a faca e cravá-la em seu peito. Assim, quando sentiu aqueles dedos molhados que traçavam sobre sua testa o desenho de uma cruz, um tremor perpassou-lhe pelo corpo, e ela fechou os olhos. Enquanto ele orava, Helga sentou-se na relva, como um pássaro assustado, deixando a cabeça pender sobre os joelhos.

Vendo-a daquele jeito, inteiramente à sua mercê, o sacerdote exaltou a beleza de seu gesto, quando ela, sob a aparência de um sapo, o libertara da prisão, proporcionando-lhe a fuga e devolvendo-lhe a vida. Agora, porém, via que ela tinha o coração atado por cordas tão fortes, que não poderiam ser cortadas por uma faca. Entretanto, estava em seu poder alcançar a liberdade, aprendendo a amar a Deus e a volver os olhos para a Sua luz eterna. Ele iria levá-la até Hedeby, a cidade onde vivia e pregava o santo homem Ansgar. Só ele seria capaz de desfazer o encantamento que a possuía.

Helga fez que sim com a cabeça e, ao montar, quis ficar à frente, como ficara o sapo, mas o sacerdote não permitiu, dizendo-lhe:

— Senta-te atrás. Não quero ver-te, pois tua beleza provém do Maligno, e receio contemplá-la. Ao final, a vitória será minha, em nome de Cristo!

Em seguida, prostrou-se de joelhos e orou fervorosamente. Toda a floresta transformou-se num enorme templo: as aves cantavam, como se formassem um coro, e a hortelã recendia, incensando o ar com sua fragrância penetrante. O jovem sacerdote recitou em voz alta as palavras do Evangelho:

— Recaia a luz sobre aqueles que se acham perdidos nas trevas do pecado e na sombra da morte, e guie nossos passos na senda da paz.

Em seguida, falou com entusiasmo sobre a natureza de Deus e sobre o Seu amor, e era tal o calor e a sinceridade de suas palavras, que até o cavalo parou de pastar, olhando para ele como se estivesse prestando atenção em suas frases.

Sem reclamar, Helga montou à garupa, postando-se ali de olhos esgazeados, como se fosse uma sonâmbula. O sacerdote atou dois galhos secos, formando uma cruz e, empunhando-a diante de si, pôs-se a cavalgar, embrenhando-se na floresta. O arvoredo foi-se adensando, e o caminho ficando cada vez mais estreito, até não passar de uma trilha. Sarças espinhosas surgiam em profusão, arranhando os viajantes obrigados a atravessá-las. Seguiram ao longo de um regato, que mais abaixo desaguava num brejo. Com dificuldade, tentaram rodeá-lo.

Durante todo o percurso, o sacerdote falava, usando palavras saídas do fundo de seu coração repleto de fé no meigo Deus de sua crença, com o desejo incontido de salvar a alma da jovem. Aquelas gotas insistentes de fé começaram a perfurar a barreira de pedra que defendia a alma de Helga, deixando que o orvalho da graça divina começasse a nela penetrar. Nem ela própria estava consciente disso, de modo idêntico ao da semente enterrada sob o solo, que ignora o quanto representa a ação conjunta do sol e da chuva, no sentido de fazê-la abrir-se, para que possa irromper de dentro de si a planta verde ali contida.

Assim como a cantiga de ninar penetra na mente da criança, e esta, embora sem compreender o significado das palavras, aprenda a repeti-las com prazer, as frases candentes do jovem sacerdote invadiam a alma de Helga, impregnando-a de amor.

Uma clareira aberta na floresta permitiu-lhes prosseguir mais rapidamente; em seguida, porém, tiveram de atravessar novo trecho de mata fechada. Quando o sol estava prestes a desaparecer, foram abordados por um bando de salteadores.

— Alto lá! — gritou um deles, segurando o cavalo pelo freio. — Onde foi que você raptou essa donzela?

Os salteadores obrigaram os dois a descerem do cavalo. Eram muitos, e a única arma do sacerdote era a faca que havia tomado de Helga. Mesmo assim, procurou defender-se. Um dos salteadores desferiu-lhe um golpe com um machado. Ele esquivou-se, mas a lâmina afiada do instrumento acabou atingindo o cavalo no pescoço, abrindo-lhe ali uma profunda ferida. O sangue borbotou, e o animal caiu prostrado no chão. Helga, que até aquele momento parecia estar em transe, acordou de repente, atirando-se ao animal, na intenção de estancar-lhe o sangue. O sacerdote postou-se à sua frente, procurando dar-lhe proteção. Um dos homens, porém, tomou de uma marreta e acertou-lhe uma tremenda pancada na cabeça, rachando-a e esmagando seus miolos. Foi um golpe mortal.

Os assaltantes agarraram Helga, revistaram-na e tiraram dela uma pequena adaga, que ela trazia escondida dentro de suas roupas. Nesse exato momento, o sol se pôs, e a moça transformou-se num horrendo monstro com aspecto de sapo. Seu rosto delicado achatou-se, passando a ostentar uma boca verde-esbranquiçada; seus braços adelgaçaram e suas mãos se crisparam, surgindo membranas entre seus dedos, enquanto sua pele se tornava áspera, verruguenta e viscosa. Os ladrões recuaram, apavorados, e o monstro, como só os sapos sabem fazer, projetou-se num salto ágil, passando por cima deles e se internando na floresta. Imaginando que ele fosse a encarnação de Loki, o diabo medonho e vingativo, fugiram em debandada.

A lua cheia já estava alta no céu, quando Helga, em sua amedrontadora forma noturna, saiu das moitas onde se escondera e regressou ao local do assalto. Parada à frente do corpo do sacerdote e do cavalo morto, ficou a contemplá-los com olhos tristonhos, nos quais dir-se-ia tremeluzir uma lágrima sentida. O som que saiu de seu peito lembrava o soluço de uma criança prestes a chorar. Estreitou contra o peito a cabeça do sacerdote, depois a do pobre animal, e depois foi até o regato próximo, trazendo água na concha das mãos e espargindo-a sobre os dois cadáveres, talvez na esperança de que isso lhes devolvesse a vida. De nada adiantou, pois ambos já estavam frios e definitivamente mortos.

Veio-lhe à mente o temor de que as feras silvestres poderiam aparecer, atraídas pelo cheiro do sangue, e os devorassem. Para impedir que isso acontecesse, começou a escavar o chão, a fim de enterrá-los. Seu único instrumento era um galho seco de árvore, que encontrou caído no chão. As membranas que ligavam seus dedos começaram a arder e sangrar. Ela logo viu que não seria capaz de cavar uma cova grande o suficiente para abrigar os dois corpos. Então, limpou o sangue espalhado pelo rosto do sacerdote, cobrindo-o de folhas. Em seguida, juntou ramos de árvores e escondeu completamente os dois corpos. Sabia que isso seria insuficiente para despistar os lobos e as raposas; por isso, empilhou sobre os ramos todas as pedras que pôde encontrar, espalhando sobre elas grande quantidade de musgo. Só então ficou certa de que aqueles corpos poderiam repousar em paz, sem temer o ataque das feras.

Passou toda a noite fazendo aquele trabalho. Quando deu por si, raiou a aurora, e ela voltou a assumir sua forma humana. Dessa vez, porém suas mãos estavam sangrando, e lágrimas rolavam pelas suas faces rosadas, coisa que nunca lhe acontecera até então.

As duas naturezas lutavam agora dentro de si. Seu corpo tremia todo, como se tomado por uma febre alta. Os olhos assustados não conseguiam fixar-se num ponto, girando a esmo, cheios de medo e espanto. Parecia alguém que acabava de acordar de um pesadelo. Tentando controlar-se, agarrou-se ao tronco de um amieiro. Sem saber como, trepou por ele acima, com a agilidade de um esquilo. Ganhou o topo da árvore e ali passou o resto do dia, em completa imobilidade.

A seu redor, reinava a solene tranquilidade da floresta. É assim que se costuma descrevê-la; contudo, se alguém observar detidamente esse ambiente verde, notará que ele nunca se encontra de fato silente e imóvel. Duas borboletas voavam, circulando-se mutuamente: seria uma espécie de luta, ou simplesmente uma brincadeira? Junto à raiz daquela árvore havia dois formigueiros, e centenas de seus pequenos moradores andavam para lá e para cá, numa faina incessante. Moscas e mosquitos voejavam pelo ar, formando verdadeiras nuvens. De vez em quando, passava voando uma libélula, exibindo suas asas douradas e cintilantes. Vermes arrastavam-se sobre o solo úmido, e toupeiras jogavam terra para fora de suas tocas, formando montículos de proteção, junto a suas entradas. Nenhum desses animaizinhos notou a presença de Helga ali na árvore, e, se notou, não se importou. Apenas um casal de pegas lhe deu atenção. Curiosas de saber do que se tratava, as aves pousaram no galho onde ela estava, mantendo a distância que a prudência exigia. Vendo que a jovem não se mexia, aproximaram-se mais um pouco. Aí, ela piscou, causando-lhes grande susto. Trataram de voar, antes que aquele estranho ser humano, encarapitado na árvore, lhes pregasse alguma peça. Seguro morreu de velho, e as pegas também.

Quando o sol descambou no horizonte, Helga lembrou-se de que chegava a hora de sua metamorfose, e desceu para o chão. Logo depois, readquiria o formato de sapo. As mãos ainda doíam e tinham as repulsivas membranas entre os dedos. Mas seus olhos já não eram os de um sapo, e sim os de um ser humano: aqueles que de fato refletem a alma de quem os possui.

Perto do túmulo rústico estava a cruz feita pelo jovem sacerdote. Fora a última coisa que ele fizera com suas próprias mãos. Helga cravou-a sobre o monte que o cobria. Ao fazer aquilo, seus olhos encheram-se de lágrimas, pela lembrança da tragédia que haviam presenciado na tarde anterior. Achando belo o efeito daquela cruz sobre o monte de galhos, pedras e musgo, Helga decidiu fazer diversas cruzes semelhantes, rodeando com elas as duas sepulturas. À medida que as fazia, as membranas foram caindo de seus dedos, deixando-os livres como os de uma mão humana. Para limpar as casquinhas que ainda permaneciam em suas mãos, foi lavá-las no regato, e espantou-se ao vê-las suaves a alvas, como as de uma donzela. Imitando o gesto do sacerdote, fez no ar o sinal-da-cruz, com a mão voltada para os túmulos. Sua boca de sapo estremeceu, sua língua pareceu engrossar, e ela tentou articular uma palavra, um nome, aquele que tantas vezes escutara durante sua viagem pela floresta. Por fim, conseguiu o que queria, e pronunciou clara e distintamente:

— Jesus Cristo!

A pele verruguenta que a recobria desprendeu-se de seu corpo, e ela se viu livre daquele invólucro incômodo, resplandecente em sua beleza feminina e juvenil. Todo aquele esforço produziu-lhe extremo cansaço. Inclinando a cabeça, deixou-se cair sobre a relva e adormeceu, na margem do regato.

À meia-noite, acordou. Diante dela estava o cavalo morto. Pequenas chamas desprendiam-se do ferimento em seu pescoço, e seus olhos pareciam fulgurar. Ao lado dele estava o jovem sacerdote, "mais bonito que um deus", conforme dissera a mulher do chefe viking. Também ele emitia uma estranha luminosidade. Seus olhos fitavam Helga, tristes, graves, mas gentis. Ela sentiu como se estivesse sendo submetida a um julgamento, e que aqueles olhos penetravam-lhe o corpo como uma verruma, enxergando o fundo de seu coração. Ante seus próprios olhos, toda a sua vida desfilou. Cada carinho recebido, cada palavra terna que lhe fora dirigida, tornaram-se terrivelmente reais. Ela compreendeu que o amor tinha saído vitorioso do combate travado em seu íntimo, conseguindo libertar do lamaçal do rancor sua alma, que até então ali chafurdava-se de dia, e desfazendo a crosta repulsiva que revestia seu corpo, quando a noite caía. Ela própria, sem auxílio externo, jamais teria sido capaz de alterar seu destino. Se o conseguira, fora porque alguém a tinha guiado naquela direção. Humildemente, inclinou a cabeça e deu graças Àquele que pode enxergar os cantos mais recônditos de nossos corações. Nesse momento, sentiu que uma espécie de fogo perpassava por ela, purificando-a do pecado — era a chama do Espírito Santo.

— Tu, filha do pântano — disse-lhe o espírito do sacerdote — do barro foste formada, e do barro ressurgirás. O raio de sol que reluz em teu interior retornará a teu Criador, que não é o sol, mas Deus. Nenhuma alma será condenada, mas a vida terrena pode ser longa, e o voo para a eternidade pode parecer infinito. Venho da terra dos mortos, onde as montanhas reluzem e onde vive toda a perfeição. Um dia, terás de transpor os vales escuros que te separam dessa terra. Sinto não poder levar-te a Hedeby, onde pretendia batizar-te em nome de Cristo. Mas tens um dever a cumprir no pântano. Deves ir até lá, para quebrares o escudo de água que cobre e esconde a raiz viva da qual germinaste. Vem comigo.

Dito isso, montaram, e ele lhe entregou um turíbulo dourado, igual a um daqueles que tinham sido trazidos pelos vikings de sua última incursão guerreira. Um aroma doce e penetrante emanava de dentro dele. A ferida na cabeça do jovem sacerdote refulgia como uma joia, enquanto ele disparava a galope, empunhando a cruz em suas mãos. Os cascos do cavalo não tocaram o chão, mas sim um caminho invisível, que levava às alturas, acima e além da floresta. Helga olhou para baixo e avistou as pequenas elevações, sob as quais jaziam os restos mortais dos antigos chefes vikings, enterrados junto com seus cavalos. Os gigantescos espectros desses chefes apareciam agora, montados nos corcéis, sobre aqueles velhos túmulos arredondados. À luz do luar, as faixas douradas em torno de suas testas reluziam, e suas capas flutuavam ao vento. O monstruoso minhocão que guardava o tesouro ali enterrado punha a cabeça para fora de sua toca e vigiava atento tudo o que acontecia. Anõezinhos corriam para todos os lados, portando suas lanternas. Velozes e leves, pareciam fagulhas desprendidas das cinzas de um monte de papel queimado.

E lá se foram pelos ares, sobrevoando as urzes, a floresta, os lagos e os regatos, seguindo na direção do grande pântano. Ao atingirem suas imediações, o sacerdote ergueu a cruz. Iluminados pelo luar, os dois galhos secos que a formavam pareciam ser de ouro. Ali do alto, diante do pântano que se estendia a perder de vista, ele celebrou a missa. Na hora dos cânticos, Helga juntava sua voz à dele, como uma criança que estivesse tentando imitar a mãe. Ele agitou o turíbulo, e a fragrância do incenso espalhou-se ao longe, impregnando tão fortemente a atmosfera, que as flores dos caniços brotaram, e os lírios-d'água rebentaram à superfície das águas barrentas, encobrindo-as inteiramente, como se formassem um tapete colorido. No centro do lago, onde a densidade das flores aquáticas era maior, jazia adormecida uma bela mulher. Helga julgou estar vendo seu próprio reflexo, sem saber que aquela era a esposa do Rei do Pântano, sua mãe, a princesa do Egito.

A um gesto do espectro do sacerdote, a mulher flutuou no ar e subiu até eles, sendo colocada nas costas do cavalo. O animal oscilou e começou a descer, vergado pelo peso excessivo que carregava. Fazendo o sinal-da-cruz, o sacerdote incutiu-lhe novas forças, e ele então voltou a voar rapidamente, levando-os sãos e salvos para a margem.

No instante em que desmontavam, o galo cantou. Àquele som estrídulo, sacerdote e cavalo desfizeram-se numa poeira tênue, que logo se dissipou, levada pelo vento. Helga e sua mãe ficaram sozinhas, olhando intrigadas uma para a outra.

— É minha própria imagem que estou vendo, refletida num espelho? — perguntou a mãe.

— Será meu reflexo, ou uma miragem? — perguntou a jovem.

As duas estenderam as mãos, tocaram-se, reconheceram quem deviam ser e se estreitaram num carinhoso abraço.

— Oh, minha filha, flor do meu coração! Você é o lótus das águas profundas — disse a princesa, deixando que suas lágrimas caíssem sobre os ombros de Helga, como um batismo de amor. — Vim até aqui envolta num manto de plumas de cisne. Ao mergulhar no lago, fiquei presa no lodo do pântano, e nele afundei, como se descesse por um poço de paredes escuras. Alguma coisa puxava meus pés, arrastando-me cada vez mais para baixo. Meus olhos pesavam de sono, e um torpor estranho invadiu-me toda. Dormi e sonhei que tinha regressado ao Egito, encontrando-me na câmara mortuária da pirâmide maior. Via diante de mim o tronco caído do amieiro, sobre o qual me postara, ao alcançar o pântano. Reparando melhor nas rachaduras e fendas de sua casca, notei que formavam hieróglifos, semelhantes aos que se veem nos ataúdes das múmias dos faraós. De repente, a casca se rompeu, e de dentro dela saiu uma múmia, negra e fosforescente como as lesmas da floresta. Que seria aquela estranha aparição? Eu não saberia dizer. De repente, ela estreitou-me em seus braços, e desfaleci, pensando que iria morrer. Mas isso não aconteceu. Meu coração continuou a bater, e senti uma espécie de calor dentro de mim. A múmia — seria o Rei do Pântano? — desapareceu, e em seu lugar, pousado em meu peito, estava um passarinho, cantando e agitando as asas. Súbito, voou e foi pousar nas vigas escuras do teto. Um longo cordão verde ligava-o a mim. Entendi que seus gorjeios significavam: "A luz do sol! Liberdade!" Era um cântico em homenagem ao astro-rei, o pai de todas as coisas. Lembrei-me de outro rei, meu pai, que jazia inerte na terra ensolarada do Egito. Desatando os laços do cordão verde, libertei o pássaro, deixando que ele voasse até o palácio. Depois disso, caí num sono profundo, do qual só despertei há pouco, quando o cheiro de incenso invadiu minhas narinas, e o som dos cânticos sacros me trouxe de volta à luz, retirando-me das trevas subterrâneas.

Onde estaria agora o cordão verde que ligava o coração da princesa às asas do pássaro? Atirado ao chão, como um objeto usado e sem serventia. Só a cegonha o viu, notando que tinha sido feito do talo da flor que servira de berço para a criança que, há tempos, a ave retirara dali, e que agora se transformara na linda jovem ali parada, sorrindo para sua mãe.

Enquanto as duas voltavam a abraçar-se, Papai Cegonha ficou desferindo círculos acima delas. Então, lembrando-se dos dois mantos de pena de cisne que estavam guardados em seu ninho, voou para lá, a fim de buscá-los. Logo voltou, entregando-os à mãe e à filha. Elas vestiram-nos, e em pouco alçavam ao ar, como se de fato fossem dois cisnes.

— Agora podemos conversar — disse a ave, voando ao lado delas. — Embora vocês não tenham bico, como eu, podemos entender o que cada qual de nós fala. Que sorte eu estar aqui hoje de manhã, quando vocês se encontraram! Se tivessem adiado esse encontro para amanhã, eu já teria migrado, e estaria longe daqui. Sim, hoje é o dia da partida das cegonhas para o Sul. Não me reconhecem? Sou uma daquelas cegonhas que frequentam o Nilo no inverno. Temos ido lá durante todos esses anos; eu, minha mulher e meus filhos. Ela também é amiga de vocês. Embora sempre afirme ser melhor deixar que a princesa cuide de si própria, no fundo não pensa desse modo. Foram meus filhos e eu que trouxemos os mantos de penas de cisne para cá. Ah, como estou feliz, vendo-as juntas, satisfeitas! Valeu a pena o sacrifício de trazer esses mantos pesadíssimos! Nossa partida será em poucas horas, logo que o sol esteja a pino no céu. Não é só nossa família que vai migrar, mas todo um bando de cegonhas. Somos muitas. Para que não se percam, é melhor que nos sigam, pois conhecemos bem o caminho. E se tiverem algum problema durante o voo, não se preocupem: estaremos de olho em vocês, prontos para lhes darmos uma mãozinha, ou melhor, uma asinha.

— Agora já sei qual era a flor que eu devia levar para o Egito — disse a princesa, sorrindo. — Decifrei o enigma: é você, minha filha, a flor que brotou no meu coração. Vamos voltar para nossa casa.

Mas Helga insistiu que não devia sair dali antes de dar adeus à mulher que a criara, sua mãe adotiva. Sempre a tratara com grosseria e rispidez, mas agora reconhecia quanto lhe devia, quantas lágrimas a havia feito chorar, quanta decepção lhe causara. Naquele momento, sentiu que a amava mais do que a própria mãe.

— É isso mesmo, minha jovem — intrometeu-se Papai Cegonha na conversa. — Vamos à casa grande do chefe viking. Realmente, tenho de ir para lá, pois minha mulher e meus filhos esperam-me no ninho. Quando as virem, vão arregalar os olhos e bater os bicos de espanto. Vocês gostarão de conhecer minha esposa. Ela não é de fazer estardalhaço, nem de falar pelos cotovelos. Ao contrário, fala só o estritamente necessário. Mas acerta na mosca, sempre que comenta alguma coisa. Vou avisá-los de nossa chegada.

E começou a abrir e fechar o bico, batendo fortemente a parte de cima contra a de baixo, e assim produzindo um som semelhante ao de uma matraca.

Na casa, todos ainda estavam dormindo. A esposa do chefe tinha custado a pregar os olhos na noite anterior, preocupada com o destino de Helga, que tinha desaparecido três dias antes, levando consigo o sacerdote cristão. Notando que um cavalo tinha sido tirado do estábulo, desconfiou que a jovem o tivesse ajudado a escapar. Por que fizera aquilo? A mulher havia cismado por um longo tempo, procurando uma resposta. Alguém já lhe dissera que Jesus Cristo operava milagres no coração daqueles que recorriam a Ele. Mesmo dormindo, sonhou com aquele novo Deus, tão diferente dos que até então conhecia. No sonho, viu-se sentada em sua cama, bem protegida da tempestade furiosa que rugia lá fora. O vento sibilava; as ondas do mar quebravam-se com estrondo contra os rochedos da costa; Midgar, o verme gigantesco que vive no interior da terra, contorcia-se todo, tomado de fortes convulsões. Chegava ao seu final o dia da glória e do esplendor dos deuses antigos; estava sendo travada sua última batalha, e eles lutavam denodadamente contra sua extinção, mas ela era inevitável. Avizinhava-se Ragnarok — o fim do mundo, a morte dos deuses. Os chifres de guerra soavam, lamentando a derrota iminente. Os deuses cavalgavam além do arco-íris, vestindo suas armaduras reluzentes. À frente seguiam as valquírias, e à retaguarda os chefes vikings, cuja fama havia chegado até o palácio de Odin. O sol da meia-noite refulgia, enchendo o céu de clarões; entretanto, a noite de sua derrota estava prestes a cair. Era um sonho terrível, e a mulher arfava no leito, tomada de medo e angústia.

No sonho, viu ao seu lado a forma noturna de Helga, o monstro de cara de sapo, que também tremia, procurando sua proteção. Sem se importar com seu aspecto horrendo e com sua pele viscosa e repugnante, estreitou-o com ternura junto ao peito. Chegava até ela o fragor da batalha. As setas cruzavam os ares sem parar, deixando rastros de fogo por onde passavam. Chegara o momento em que o céu e a terra iriam inflamar-se, e em que as estrelas se desprenderiam do firmamento, derretendo-se na enorme fogueira que tudo iria consumir. Mas um novo céu e uma nova terra ressurgiriam das cinzas dessa catástrofe. Onde agora o mar bravio cobria as planícies, o centeio e a cevada haveriam de vicejar. O deus Balder, terno e amável, preso há séculos e séculos no Reino das Sombras, iria se libertar, subindo gloriosamente aos céus. Eis que ele chegava! No sonho, a mulher avistou-o, belo e radiante, reconhecendo em suas feições as do sacerdote cristão que o marido trouxera prisioneiro.

— Jesus Cristo! — exclamou, estreitando mais fortemente contra o peito a cabeça do pequeno monstro, e beijando-o carinhosamente.

Nesse instante, o sapo desapareceu, e em seu lugar surgiu Helga, linda como sempre, mas agora com uma aparência amável e bondosa, que ela nunca havia visto antes. A jovem beijou-lhe as mãos com ternura, agradecendo-lhe pelo amor e pelos cuidados que sempre lhe dispensara. Falou-lhe das ideias e dos princípios que havia plantado em seu coração, dizendo que eles agora começavam a frutificar. Espantada ante todas aquelas revelações, a mulher viking nada fez senão sussurrar o nome que ultimamente corria de boca em boca, entre os do seu povo:

— Jesus Cristo!

Nesse momento, Helga transformou-se num cisne e alçou voo, saindo pela janela. O rumor de suas asas acordou a mulher. Abrindo os olhos, reconheceu que acabara de ter um sonho muito estranho, e interpretou as batidas de asas que acabara de ouvir como sendo das cegonhas, que deveriam estar iniciando sua migração. Saiu do quarto e foi para fora de casa, a fim de ver o bando de aves a passar, rumando para as terras quentes do sul. O céu estava coalhado de cegonhas, que voavam em círculos. Junto à cisterna do pátio, onde tantas vezes tremera de susto, devido às brincadeiras de mau gosto de Helga, avistou dois cisnes. Um deles, não teve dúvida, era aquele que acabara de ver em seu sonho. Era Helga! Lembrou-se também do semblante do deus Balder, idêntico ao do sacerdote cristão, e seu coração encheu-se de uma inexplicável alegria.

Os dois cisnes bateram as asas e curvaram seus longos pescoços na direção da mulher, como se a estivessem saudando. Ela correspondeu ao cumprimento, abrindo seus braços num gesto de abraço, enquanto as lágrimas desciam-lhe pelas faces.

As últimas cegonhas seguiram o bando, e os derradeiros ruídos de seus bicos a bater e de suas asas a ruflar perderam-se ao longe.

— Vamos embora — disse Mamãe Cegonha. — Nada de esperar pelos dois cisnes. Eles que nos sigam, se assim desejarem. E que não queiram misturar-se a nós, pois somos uma família, e sempre voamos unidos. Detesto o costume dos tentilhões, de irem os machos à frente e as fêmeas atrás. É tão deselegante! Já os cisnes vivem mudando de formação, sem se fixarem numa só. Desconfio que seja falta de organização.

— Ora, querida, que é isso? — repreendeu Papai Cegonha com carinho. — Cada ave tem sua maneira de voar. Os cisnes formam uma linha diagonal; os grous formam-se em triângulo; as tarambolas voam numa linha sinuosa, lembrando a silhueta de uma serpente.

— Não fale essa palavra enquanto estivermos voando! — advertiu Mamãe Cegonha. — Pode despertar a fome, principalmente nos menores, e agora não é hora de procurar comida.

Enquanto isso, Helga e sua mãe voavam sozinhas, conversando animadamente.

— Aquelas massas negras que vejo ali à frente são as tais altas montanhas de que tanto escuto falar? — perguntou a jovem.

— Não, filha, são nuvens de chuva. Vamos passar por cima delas.

— E aquelas massas brancas ao longe, são nuvens feitas de neve?

— Aquelas, sim, são as altas montanhas. São os picos recobertos de neve da Cordilheira dos Alpes. Além delas, estende-se o Mediterrâneo, com suas águas azul-escuras.

E a princesa ia indicando os acidentes geográficos, à medida que surgiam ante seus olhos. "Eis a costa africana"; "Estamos sobrevoando o deserto", "Lá, ao longe, já é o Egito".

À menção do nome da terra natal, seus olhos brilharam de alegria. Passaram a voar mais rapidamente, ao avistarem aquela terra milenar. Também as cegonhas bateram as asas mais velozmente, quando notaram que a estavam sobrevoando.

— Já estou sentindo o cheirinho da lama do Nilo — comentou Mamãe Cegonha.

— E eu das rãzinhas saborosas que lá estão aguardando minha chegada — brincou um de seus filhos.

Os filhotes mais novos avistavam aquela terra pela primeira vez. De olhos arregalados, nada diziam, prestando atenção às palavras da mãe, que ensinava:

— Já devem estar morrendo de fome, não é? Tenham calma. Comida é o que não falta nesta terra. E quanta coisa para se ver! Vamos conhecer outras cegonhas, além de diversas aves que pertencem à nossa família, embora não sejam tão bonitas e elegantes como nós. Tem o marabu, tem o grou, tem a garça, tem o íbis. Esse último é muito paparicado pelos egípcios; não consigo entender por que razão. Quando um íbis morre, eles o empalham e enchem seu corpo de especiarias aromáticas. Pena que ele próprio não pode sentir o cheirinho gostoso delas... Quanto a mim, prefiro outro tipo de recheio: rãzinhas verdes e saborosas. Podem encher minha barriga com elas que não me importo. Antes modesta e sem fama, mas viva e bem alimentada, que cheia de glória e especiarias, porém morta. É assim que penso, e tratem de pensar do mesmo modo, que é a maneira ditada pela bom senso e pela experiência.

— Lá vêm as cegonhas! — gritaram os criados do palácio à beira do Nilo.

Num divã recoberto por peles de leopardo, jazia o soberano, mais morto que vivo, aguardando ansiosamente a prometida flor de lótus das terras nórdicas, capaz de devolver-lhe a saúde. De repente, dois cisnes entraram voando no salão. Tinham chegado ao Egito junto às cegonhas. Pousaram, retiraram as penas que os cobriam, e de sob o manto surgiram duas belíssimas mulheres, tão parecidas uma com a outra como o seriam duas gotas de orvalho entre si. Curvando-se sobre a figura inerte que jazia no divã, tocaram-na com as mãos. Quando os dedos de Helga encostaram-se no rosto pálido e seco do avô, o sangue coloriu suas faces, seus olhos voltaram a brilhar e seu corpo readquiriu ânimo e vitalidade. O soberano levantou-se, rejuvenescido, e envolveu filha e neta num abraço carinhoso, como se fossem ambas as portadoras da aurora, despontando em sua existência após uma escura e prolongada noite.

Voltou a reinar a alegria naquele palácio, há pouco tão desolado. Júbilo semelhante notava-se no ninho das cegonhas, embora por outro motivo: é que aquele lugar estava fervilhando de rãs. Como elas eram apreciadas por aqueles estômagos mantidos vazios durante tantas horas seguidas!

Enquanto os sábios e letrados juntavam-se para escrever a história das duas jovens princesas e da flor que devolvera a saúde ao soberano, trazendo a alegria para o palácio e a felicidade para toda a nação, as duas cegonhas contavam-na aos filhos e aos amigos, a seu modo. Mas só fizeram isso depois de estarem todos de barriga cheia, pois tudo tem sua hora certa.

— Só quero ver o que lhe darão, como recompensa pelos seus sacrifícios — disse Mamãe Cegonha baixinho, de modo que só seu companheiro a escutasse.

— Não precisam dar-me recompensa alguma — retrucou Papai Cegonha. — Fiz apenas o que achei ser correto. Não acho que mereça prêmio por causa disso. Foi tão pouco...

— Pouco? Que modéstia é essa? Se não fosse por você, ajudado por nossos filhos, as duas jamais teriam retornado ao Egito! Claro que isso merece recompensa, e das boas! No mínimo, terão de lhe conferir o título de Doutor! E título hereditário, desses que passam de pais a filhos, e de filhos a netos. Já estou até vendo: "Cegonhildo, Doutor em Filosofia"!

Redigida a história, viu-se que, em todo o seu desenrolar, estava realçada a ideia fundamental de que "a Vida decorre do Amor", que também lhe servia de desfecho e moral. Assim foram feitas as comparações:

> "O amor engendra a vida. A princesa é o raio de sol que iluminou a escuridão do pântano. Do convívio entre sua luz e a escuridão, representada pelo Rei do Pântano, brotou a flor", etc., etc.

— Posso repeti-la palavra por palavra — disse Papai Cegonha, depois de escutar a leitura, pousado no teto da torre onde os sábios e doutos se reuniram. — O soberano ficou felicíssimo ao escutá-la, e conferiu medalhas e distinções a todos os seus autores. Até o cozinheiro real ganhou uma condecoração, mas acho que foi pela sopa que preparou, e que o soberano tomou com grande satisfação.

— E o que sobrou para você? — perguntou Mamãe Cegonha. — Não me diga que o esqueceram. Será possível que os sábios não reconhecem a importância de sua participação, abiscoitando uma glória que não era deles? Vamos dar um tempo para ver se reconhecem a injustiça que acabam de cometer.

Quando a noite caiu e todo o palácio ficou escuro e silencioso, houve alguém que não dormiu. Não, não era Papai Cegonha. Embora ele estivesse montando guarda do lado de fora do ninho, apoiado numa de suas pernas, já se acostumara tanto com aquilo, que até ressonava. Quem estava acordada era Helga, parada junto à grade da varanda, contemplando as estrelas. Achou-as mais claras e brilhantes que as da terra de onde acabara de chegar; entretanto, eram as mesmas estrelas que também lá cintilavam à noite. A jovem pensava em sua mãe de criação, a mulher viking, que vivia perto do grande pântano. Lembrou-se de seus olhos doces e gentis, e das lágrimas que derramava quando a abraçava de noite, sem se importar com seu aspecto repulsivo. Considerava como devia ser repleto de amor e bondade aquele coração, capaz de sentir afeição por uma criatura tão monstruosa, e de suportar sua agressividade e falta de carinho, quando assumia a aparência humana. Uma estrela reluziu subitamente, fazendo-a lembrar-se de como refulgira o ferimento na cabeça do sacerdote cristão, quando a carregara pelos ares. Pensou nas palavras que ele lhe dissera quando ainda estava vivo, explicando-lhe a origem do amor e ensinando-lhe que sua mais sublime expressão era quando ele abarcava, num único e mesmo sentimento, todos os seres vivos.

Quanto lhe fora dado, quanto bem lhe fora feito! Toda a sua vida fora uma sucessão de presentes, que nada fizera por merecer. Como uma criança, ela só se detinha na contemplação do que tinha recebido, sem dar atenção a quem dera o presente. Tinha certeza de que dádivas ainda maiores haveriam de chegar-lhe às mãos, presentes mais esplêndidos que os recebidos até então. Não era a menina predestinada, em cujo favor até mesmo milagres tinham sido realizados?

Tais pensamentos mantiveram-se em sua mente pelos dias que se seguiram. Jamais lhe passou pela cabeça lembrar-se do responsável por tantos e tamanhos benefícios. A arrogância da juventude tomava conta de seu coração, e seus olhos faiscavam de autoconfiança e satisfação. Certa vez, escutou um barulho que vinha do pátio do palácio. Olhando da varanda, viu duas avestruzes, correndo em círculos, uma ao redor da outra. Nunca vira antes aquelas estranhas aves, enormes, roliças e pesadas, com asas tão curtas, que pareciam cortadas. Pensando que alguém tivesse feito a maldade de aparar-lhes as asas, para impedi-las de voar, pediu esclarecimentos a um cortesão, que lhe contou a velha lenda egípcia referente às avestruzes. Vamos ouvi-la.

Antigamente, a avestruz tinha asas grandes e fortes. Foi então que outras aves, grandes como ela, convidaram-na para ir ao rio, no dia seguinte, tomar um banho refrescante. Ela aceitou. Assim, logo que amanheceu, voaram todas na direção do sol, que é o olho de Deus. No afã de chegar primeiro, a avestruz voou mais rápido que as outras aves. Em seu orgulho, esqueceu-se de que devia sua força e sua capacidade de voar ao Ser Superior que a tinha criado. Ao ser convidada, na véspera, escutara sua companheira dizer que iria ao rio "se Deus quiser"; ao responder-lhe, entretanto, afirmara que iria, sim, na certeza de que bastava sua vontade para concretizar aquela intenção. Foi então que o anjo corregedor puxou o véu que amenizava o ardor do sol, e as chamas que se desprenderam do astro queimaram as asas da avestruz, fazendo-a precipitar-se no chão. Ela nunca mais poderia voar, e o castigo reverteu também aos seus descendentes. É por isso que ela gira em círculos, correndo, a fim de lembrar aos seres humanos que, ao se referirem aos seus planos futuros, nunca deixem de dizer: "Se Deus quiser."

Helga baixou a cabeça, pensativa, enquanto olhava as duas avestruzes que corriam lá embaixo, no pátio. Notou como as aves pareciam assustar-se, ao verem projetada sua sombra sobre o muro branco, iluminado pelo sol. Na mente da jovem formaram-se subitamente novas e graves ideias. Que lhe estaria reservado para o futuro? Que novas alegrias iriam coroar sua existência rica e feliz? Veio-lhe a resposta prontamente, e ela murmurou para si própria:

— O que tiver de vir, virá, se Deus quiser.

Ao início da primavera, quando as cegonhas se preparavam para regressar à sua terra natal, Helga separou uma pulseira de ouro e mandou gravar nela seu nome. Indo à janela, acenou para Papai Cegonha, chamando-o. Ele atendeu, e Helga então perguntou-lhe se poderia levar aquele presente para sua mãe de criação, pois desse modo a mulher viking ficaria sabendo que ela estava bem, e que não a tinha esquecido.

— É bem desconfortável — reclamou a ave, quando ela lhe pôs a pulseira no pescoço; — contudo, ouro e glória não devem ser atirados na lama. Depois disso, haverão de dizer, lá nas terras nórdicas, que as cegonhas são as mensageiras da fortuna.

Saindo dali, foi mostrar a pulseira para sua companheira, contando-lhe todo o ocorrido.

— Já vi tudo — disse ela, com azedume. — Você vai prestar mais um favor, sem que sequer lhe agradeçam. Sempre prestativo, sempre serviçal; recompensa, que é bom, nada...

— Pedidos desse gênero não podem ser recusados. Questão de consciência, querida.

— Ninguém iria lembrar-se de dar-lhe um desses para enfeitar seu pescoço. Só se lembram de você para servir de leva-e-traz. Isso não enobrece, nem enche a barriga.

E lá se foram as cegonhas.

O pequeno rouxinol que cantava entre os tamarindos logo seguiria também para as terras do Norte. Quando ali vivera, Helga muitas vezes tinha ouvido esse pássaro cantar, em seu ninho próximo do pântano. Lembrou-se de pedir-lhe para enviar uma mensagem. Quando voara usando o manto de plumas, aprendera a linguagem das aves. Depois disso, tinha tratado de treinar, conversando com as cegonhas e as andorinhas. Portanto, o rouxinol não teria dificuldade em compreendê-la. Assim, procurou-o e solicitou-lhe que, ao chegar à Jutlândia, procurasse o lugar onde havia um túmulo grande, coberto de galhos, pedras e musgo, e ali cantasse uma canção, pedindo aos seus companheiros que fizessem o mesmo. O pássaro fez que sim com a cabeça, e de fato cumpriu o prometido.

Meses depois, a águia que estava pousada no topo de uma pirâmide avistou uma caravana que cruzava o deserto. Os camelos vinham ricamente carregados. Soldados guardavam-na, usando magníficas couraças e montando cavalos árabes brancos, de focinhos rosados, longas crinas e caudas peludas. Podia-se ver que se tratava de visitantes de alta consideração. De fato, aquela caravana trazia o príncipe da Arábia, herdeiro do trono real, altivo e bem-apessoado como se espera que sejam os príncipes. Seu destino era o palácio real do Egito.

Os ninhos das cegonhas estavam vazios, pois seus donos ainda não tinham voltado do norte. Contudo, esperava-se que chegassem por aqueles dias. Por uma feliz coincidência, elas estavam a caminho, chegando ali naquele mesmo dia, só que mais tarde.

Era um dia alegre e festivo. A corte egípcia preparava-se para realizar um suntuoso casamento. E quem era a noiva? Helga. Vestida de seda e coberta de joias, ela ocupava a cabeceira da mesa, ao lado do noivo, o jovem príncipe da Arábia. Sua mãe sentava-se ao seu lado direito, e seu avô à esquerda do noivo.

Helga mal reparava no rosto trigueiro de seu futuro esposo, nem nos olhares repassados de paixão que ele lhe lançava. Seus olhos voltavam-se para a grande janela do palácio, detendo-se no céu escuro, no qual cintilavam milhares de estrelas.

De repente, o ar encheu-se do barulho de asas que batiam. Eram as cegonhas que estavam chegando. Embora o velho casal que tão bem conhecemos estivesse cansado da longa viagem, antes de irem para o ninho, pousaram no peitoril da varanda do quarto de Helga, e ali ficaram, esperando pela jovem. Um marabu já lhes tinha contado sobre o motivo da festa que se realizava justamente naquele dia. Falara também sobre um mural que fora pintado numa das paredes do palácio, relatando a história de Helga, e no qual foram pintadas as figuras das duas cegonhas.

— Oh, que delicadeza! — comentou Papai Cegonha, orgulhoso.

— Nem tanto — contestou Mamãe Cegonha. — Isso era o mínimo que podiam fazer.

Helga pediu licença, deixou a mesa e dirigiu-se à varanda. Ao ver o casal de aves, bateu-lhes afetuosamente nas costas, e os dois se inclinaram, num cumprimento. Seus filhos, que ali também se encontravam, sentiram-se muito honrados com a atenção da princesa.

Olhando de novo para o céu, Helga avistou uma figura que flutuava ali perto. Era o sacerdote cristão, que tinha vindo do Paraíso para assistir ao casamento da jovem. Ao vê-la, ele falou:

— Que linda festa, Helga! Glória e esplendor maiores, só mesmo no Paraíso.

E ela, que nunca havia pedido coisa alguma, mas sempre exigido, rogou, suplicou que ele a levasse até lá, nem que por um breve momento, para que ela pudesse contemplar a face de Deus.

O jovem sacerdote atendeu sua súplica, levando-a até aquele lugar, que ninguém consegue descrever, ou mesmo imaginar como seja. Helga extasiou-se ante tudo o que via, ante aquele esplendor que, de tão fantástico, fazia a pessoa sentir-se como se estivesse também esplendorosa dentro de si.

— Pronto, Helga — sussurrou-lhe o sacerdote. — Não podemos ficar mais. Temos de regressar.

— Não, espere! — exclamou a jovem. — Só mais um minutinho.

— O tempo de visita é curto, e já se esgotou. Temos de ir.

— Só uma última olhadinha, por favor!

Mas, nesse instante, ela estava de volta à varanda do palácio. As luzes já haviam sido apagadas. O salão de festas estava vazio, e as cegonhas já se tinham retirado. Como explicar aquilo? Ela não ficara no Paraíso senão uns três minutos, quando muito! Onde estavam o noivo, os convidados, a festa e tudo mais?

Intrigada e receosa, Helga atravessou o salão vazio e entrou num quartinho, onde alguns soldados, vestidos de maneira estranha, estavam dormindo. Abriu outra porta, que deveria dar para o quarto do avô, e viu que ela agora dava para o pátio. O sol começava a despontar no horizonte. Afinal de contas, tinham transcorrido três minutos ou toda uma noite?

Vendo as cegonhas que voavam por ali, chamou-as em sua própria língua. Uma delas espantou-se com aquilo e se aproximou:

— Um ser humano que conhece nossa linguagem! Incrível! Quem é você? De onde veio?

— Ora, não me conhece? Sou Helga. Estivemos conversando pouco tempo atrás, ali na varanda!

— Conversando comigo? Só se for em sonho. Jamais conversei com um ser humano — protestou a cegonha.

— Mas não foi você quem me ajudou a deixar o grande pântano, na terra dos vikings, e a voltar para o Egito? Não levou para minha mãe a pulseira de ouro que lhe pus no pescoço?

A cegonha piscou os olhos, franziu a testa e respondeu:

— Isso que você está me dizendo é uma história antiga, antiquíssima, que minha tataravó dizia ter se passado no tempo da tataravó dela! É a história da princesinha do Egito que desapareceu no dia de seu casamento. Aconteceu há centenas de anos e está representada no mural que fica ali no jardim. Nele podemos ver as pinturas de cisnes e cegonhas, embaixo de uma estátua, que é a da própria princesa do Egito.

Só então Helga compreendeu a extensão do que havia acontecido, caindo ao chão de joelhos.

O sol surgiu inteiro no céu, e seus raios iluminaram a jovem prostrada de joelhos no jardim. Os mesmos raios de sol que, no passado, tinham o poder de transformar o pequeno monstro com cara de sapo numa bela jovem, agora metamorfosearam Helga num brilhante raio de luz, que subiu ao céu, indo encontrar-se com Deus.

Seu corpo desapareceu, reduzindo-se a pó. Onde ela há pouco estava ajoelhada, via-se agora uma flor de lótus, murcha e seca.

— Quem diria! — filosofou a cegonha. — A velha história ganhou um final novo. Fui apanhada de surpresa, mas, sabe de uma coisa? Gostei.

— Então vamos contá-la para os filhotes — disse seu companheiro, que acabava de chegar.

— Claro! Eles vão gostar de ouvir, mas só depois que estiverem de barriguinha cheia.

O Pinheirinho

No interior da floresta crescia um pinheirinho esbelto e elegante. Havia espaço de sobra ao seu redor, de modo que ele podia dispor de ar fresco e sol à vontade. Perto dali cresciam outros pinheiros e diversas árvores, mas ele estava tão compenetrado com sua própria necessidade de crescer, que mal lhes dava atenção. Também pouco se importava em observar as crianças que vinham à floresta colher morangos e framboesas, nem mesmo quando elas se sentavam à sua sombra e comentavam entre si:

— Que pinheirinho mais bonito, vejam só!

Para falar a verdade, ele não prestava a mínima atenção ao que alguém dissesse perto dele.

Um ano depois, estava um pouco mais alto e já possuía mais um nível de galhos circulando seu tronco; no ano seguinte, um novo nível aparecia. Aliás, é desse modo que se conhece a idade de um pinheiro: contando-se os "andares" de galhos que ele tem.

— Ah — lamentava-se o pinheirinho —, como eu queria ser do tamanho das árvores mais altas da floresta... Aí eu poderia espalhar meus galhos bem longe, e contemplar o vasto mundo do topo de minha copa. Os pássaros viriam construir seus ninhos em meus ramos, e eu poderia oscilar e curvar-me graciosamente como minhas irmãs, na hora em que o vento soprasse...

Nada lhe causava prazer, nem o calor do sol, nem o canto dos passarinhos ou a visão das nuvens vermelhas, deslizando no céu ao pôr do sol.

Chegou o inverno. Uma camada branca e brilhante de neve recobria o chão. Os coelhos passavam correndo por ali e, sem se deterem ante o pinheirinho, saltavam por cima dele com facilidade.

— Oh, que humilhação! — gemia ele a cada vez que isso acontecia.

Passaram-se mais dois anos, e ele continuou a crescer. Agora, os coelhos já não mais conseguiam saltar por cima dele, tendo de dar a volta pelo lado.

"Crescer, crescer!", pensava o pinheirinho. "Ficar alto e velho! Pode haver coisa mais maravilhosa neste mundo?"

No outono, chegou o lenhador e começou a derrubar algumas das árvores mais velhas. Todo ano, lá vinha ele, causando terror entre os gigantes da floresta.

Agora que já estava maior, o pinheirinho tremeu de medo ao vê-lo. Apavorado, acompanhou o trabalho do machado, lanhando profundamente os velhos troncos, até que o gigante desabava, caindo com estrépito no chão. Depois, os galhos eram decepados, e o tronco perdia sua majestade, jazendo nu, comprido e delgado ali no chão. Tornava-se irreconhecível. Mais tarde, era colocado numa carroça e levado para fora da floresta.

Para onde iriam aqueles troncos? Qual o seu destino?

Na primavera, quando as andorinhas e cegonhas reapareceram, o pequeno pinheiro perguntou-lhes:

— Alguma de vocês sabe dizer-me para onde os homens levam as árvores cortadas e o que fazem com elas?

As andorinhas não souberam responder, mas uma das cegonhas parou, fitando pensativamente o céu, e depois disse:

— Acho que sei. Cruzei com vários navios, enquanto migrava para o Egito. Seus mastros são enormes e desprendem um cheiro que lembra o dos pinheiros. Sim, eles devem ser feitos de madeira tirada dos pinheiros. São enormes e altaneiros, pode ter certeza.

— Ah, como eu gostaria de ser velho o bastante para servir como mastro e navegar através do oceano!... Por falar nisso, como é esse tal de oceano?

— Ih, é enorme! É tão grande, que nem tenho como explicar — respondeu a cegonha, encerrando a conversa e indo embora.

— Alegre-se por ainda ser jovem — sussurraram os raios de sol. — Desfrute da felicidade de estar vivo aqui nesta floresta!

O vento beijou o pinheirinho, e o orvalho derramou lágrimas sobre ele, que nem sequer os notou.

Quando se aproximou o Natal, homens vieram e cortaram diversos pinheiros iguais a ele, alguns até menores e mais jovens. Dessa vez, os galhos não foram cortados, mas os pinheiros eram colocados inteiros sobre as carroças, que os levavam em seguida para fora da floresta.

— E esses aí, para onde irão? — perguntou o pinheirinho. — São do meu tamanho, senão menores! Por que não lhes cortaram os galhos? Que farão com eles?

— Nós sabemos! Nós sabemos! — chiaram os pardais. — Estivemos na cidade e olhamos através das vidraças das janelas. Foi para lá que os levaram. Os homens dispensam a esses pinheirinhos a maior consideração que se possa imaginar. É a glória! Eles são postos bem no meio das salas de estar de suas casas, e ali são enfeitados com guirlandas douradas e prateadas, bolas coloridas, pingentes e dezenas de velas acesas.

Os ramos do pinheiro até estremeceram, de tão excitado que ele ficou.

— E depois? — perguntou. — Que é feito deles?

— Isso não sabemos — responderam os pardais. — O que vimos foi isso que lhe dissemos.

— Será esse também o meu destino? — murmurou o pinheiro. — Será que me está reservada uma glória semelhante? Ah, isso é bem melhor que navegar pelo oceano. Tomara que chegue o próximo Natal, para que eu seja um dos escolhidos. Já estou crescido e tenho boa aparência; nada fico a dever às árvores que há pouco foram colhidas. Já queria estar em cima da carroça, seguindo para a cidade, aguardando o momento de ser enfeitado e guardado numa sala quentinha e aconchegante. E depois, que será que vai me acontecer? Deve ser algo melhor e ainda mais grandioso! Se já de saída nos cobrem de ouro e prata, depois então... nem sei o que irão fazer! Morro de vontade de saber! Não aguento mais a angústia desta espera!

— Trate de curtir agora a sua felicidade — aconselharam os raios de sol e o vento. — Desfrute a juventude, a natureza, a vida ao ar livre.

Mas ele não era feliz. Continuou crescendo, e sua coloração tornou-se verde-escura. As pessoas que passavam por ali sempre paravam para contemplá-lo, comentando entre si:

— Que pinheiro bonito!

Aproximando-se o Natal seguinte, ele foi o primeiro pinheiro a ser derrubado. Sentiu quando o machado o separou de suas raízes, e desabou por terra com um gemido surdo. Uma sensação de dor e desespero invadiu seu cerne, impedindo-o de pensar por um momento na glória e no esplendor pelos quais tanto ansiara. Sentia uma tristeza profunda por ter de deixar o lugar onde até então havia vivido, desde que brotara no chão. Sabia que nunca mais iria ver os arbustos e as flores que cresciam ao redor de onde vivera, ou escutar o canto dos pássaros que costumavam pousar em seus ramos. Não, a despedida nada tinha de agradável.

O pinheiro só recobrou os sentidos quando estava sendo descarregado num pátio, onde já estavam muitas outras árvores. Escutou uma voz que dizia:

— Oh, que árvore linda! É essa aí que eu quero.

Dois criados de libré carregaram-no para um salão magnífico. Retratos pendiam das paredes e, sobre uma lareira toda de ladrilhos, viam-se dois grandes vasos chineses, com as tampas em formato de cabeça de leão. Havia cadeiras de balanço, sofás estofados de seda, e, sobre uma mesa, livros de gravuras e brinquedos valiosíssimos, que custavam sacos de dinheiro — pelo menos era o que as crianças diziam. O pinheiro foi posto de pé num tacho cheio de areia. Ninguém diria que aquele era um tacho velho e amassado, pois tinha sido todo recoberto de papel de seda verde, e colocado sobre um tapete de cores vivas.

O pinheiro tremia de expectativa. Que estaria para acontecer? As moças da casa começaram a decorá-lo, ajudadas pelos criados. Nos ramos, penduraram redes coloridas, cheias de bombons. Maçãs e nozes, todas pintadas de dourado, eram presas nos galhos, como se fossem os frutos que ali teriam nascido. Centenas de velinhas vermelhas, azuis e brancas foram fixadas por todos os lados. Nos pontos onde os galhos se desprendiam do tronco, foram colocados bonequinhos que eram verdadeiras miniaturas de gente. Por fim, no topo da árvore, foi posta uma estrela dourada. Sim, era magnífico, incrivelmente magnífico!

— Pronto — disse alguém. — Vamos esperar que anoiteça.

— Aí é que vai ser bom! — um outro comentou.

"Sim", pensou o pinheiro, "vai ser um espetáculo! E há de continuar assim por muito tempo. Será que as árvores da floresta virão aqui para me ver? E os pardais, virão espiar-me pela janela? Deitarei novas raízes aqui mesmo? Ficarei neste lugar pelos próximos invernos e verões?"

Todas essas interrogações deixavam-no com uma tremenda dor de casca, tão incômoda quanto a dor de cabeça para os humanos.

Finalmente, chegou a noite e as velas foram acesas. Que beleza ficou! A árvore até tremia, de tanta emoção. Por causa dessa tremedeira, um de seus galhos pegou fogo, provocando-lhe ardência e dor.

— Deus do céu! — gritaram as moças, apagando o princípio de incêndio.

Ele não se atreveu mais a tremer — era perigoso. Ali ficou, rígido e imóvel, temendo perder algum de seus enfeites. Era tudo tão estranho! De repente, as portas se abriram e as crianças invadiram a sala. Estavam tomadas de uma alegria selvagem, especialmente as mais crescidas, que até pareciam querer derrubar a pobre árvore. Já os menorzinhos pareciam tão impressionados com a imensidão do pinheiro, que pararam defronte dele, contemplando-o de olhos arregalados e bocas abertas. Mas foi só no início; logo em seguida já estavam gritando e festejando como as outras. Os adultos entraram por último, mas sem demonstrar júbilo idêntico, pois já haviam visto muitas vezes aquela mesma cena.

Passado algum tempo, todos dançaram e cantaram ao redor da árvore, tirando um a um os presentes que nela estavam presos.

"Por que fazem isso?", pensou o pinheiro. "Estão me desarrumando todo! Que mais irá acontecer?"

As velas começaram a bruxulear, e foram apagadas. As crianças passaram a retirar os enfeites restantes, fazendo-o estabanadamente. Lá se foram os bombons, as nozes e as maçãs. Era tal seu ímpeto, que a árvore teria vindo ao chão, não fosse estar presa ao teto por um grosso cordão, disfarçado atrás da estrela dourada.

Agora as crianças continuavam brincando e fazendo algazarra, porém, não mais junto à árvore. Ninguém lhe prestava atenção, a não ser a velha babá, que espiava entre seus ramos, procurando algum figo cristalizado que as crianças acaso tivessem deixado de ver.

— Conta uma história! Vamos, conta! — gritaram os pequenos, empurrando para junto do pinheiro um sujeito gordo que até então estava ali quieto, sorrindo enquanto contemplava toda aquela animação.

Ele sentou-se no chão, embaixo de seus ramos, dizendo por brincadeira que só gostava de contar histórias "à sombra dos verdes pinheirais", mas frisando que só iria contar uma.

— Qual que vocês preferem? A do "Bililiu", ou a do "Como João Redondo Despencou pela Escada, e Mesmo Assim Conquistou a Princesa"?

— "Bililiu!" — gritaram uns.

— "João Redondo!" — gritaram outros.

A sala até reboava, de tanta gritaria.

"Que papel terei de desempenhar nessa brincadeira?", pensou o pinheiro, sem saber que nada mais lhe restava fazer.

O sujeito então contou a história do "João Redondo". Quando terminou, as crianças gritaram pedindo outra, pensando que desse modo conseguiriam persuadi-lo a contar também a do "Bililiu", mas foi em vão. Tiveram de se contentar apenas com a história de "Como João Redondo Despencou pela Escada, e Mesmo Assim Conquistou a Princesa".

O pinheiro ficou quieto, mergulhado em seus pensamentos. As aves da floresta jamais tinham contado uma história como aquela. "Nunca pensei que essas coisas acontecessem no mundo", cismava, acreditando que tudo aquilo fosse verdade, pois o sujeito que tinha contado a história parecia ser inteiramente digno de confiança. "Quem sabe, um dia eu possa despencar escada abaixo e mesmo assim conquistar uma princesa?"

Sorrindo ante essa ideia, o pinheiro passou a aguardar que chegasse o dia seguinte, imaginando que então seria todo enfeitado com luzes e recheado de presentes outra vez. "Amanhã não tremerei como hoje. Já sei como é a coisa, e tratarei de aproveitar. Espero que aquele homem conte a tal história do Bililiu, que deve ser tão interessante quanto a do João Redondo." E ali ficou ele, silencioso e pensativo, esperando o esplendor do dia seguinte.

Pela manhã, vieram os criados da casa. "É agora que tudo recomeça", pensou o pinheiro. Mas as coisas passaram a ocorrer de maneira diferente. Arrancaram-no do tacho e levaram-no para o sótão, onde o deixaram num corredor escuro, que jamais era batido pela luz do dia. "É, vamos ter novidades...", pensou ele. "O jeito é aguardar."

E ali ficou ele, encostado à parede do corredor, imerso em seus pensamentos. E teve tempo de pensar, porque transcorreram dias e noites sem que pessoa alguma aparecesse por ali. Quando finalmente alguém apareceu, foi apenas para atirar ali perto umas caixas velhas de papelão. A árvore continuou escondida e completamente esquecida.

"Já sei por que isso", pensou. "Estamos no inverno. A terra está dura e coberta de neve. Não há modo de me plantar. Os homens devem estar aguardando a chegada da primavera, para me tirarem daqui. Isso é que é consideração! Pena que aqui é tão escuro e solitário... Não passa nem um coelhinho... Ah, como era bom o inverno na floresta, quando o chão se cobria de neve e os coelhos corriam e saltavam por ali! Eu só não gostava quando um deles resolvia pular por cima de mim. Este silêncio e esta solidão até me dão nos nervos!"

— Quim! Quim! — chiou um camundongo, saindo de um buraco da parede.

— Quim! Quim! — fez outro ainda menor, aparecendo atrás do primeiro.

Os dois farejaram o pinheiro e subiram pelos seus ramos.

— Eta, corredor frio! — disse o camundongo maior. — Mas eu gosto daqui. Que me diz, velho pinheiro?

— Eu não sou velho — protestou o pinheiro. — Há muitas e muitas árvores na floresta bem mais velhas do que eu.

— De onde você veio? — perguntou o camundongo menor.

Antes que o pinheiro respondesse, o outro camundongo já lhe dirigia uma nova pergunta, depois outra, pois esses animaizinhos são extremamente curiosos.

— Que é que você sabe que nós não sabemos? Conte-nos tudo.

— Qual é o lugar mais bonito do mundo? Você já esteve lá?

— Por acaso já esteve na despensa? Ah, que lugar! Nham... nham... é bom demais! Tem cada queijo nas prateleiras! E os presuntos pendurados no teto, hum? Coisa de louco, pinheiro!

— É verdade: que lugar fantástico! A gente brinca de escalar as velas de sebo, faz uma farra e tanto! Lá, quem entra magro sai gordo! Sabe onde é?

— Não, não conheço esse lugar— respondeu o pinheiro. — Mas conheço a floresta, onde o sol brilha e os pássaros gorjeiam.

E pôs-se a descrever seus tempos de juventude. Os camundongos escutaram calados e atentos. Quando a árvore acabou de falar, comentaram:

— Nossa! Quanta coisa você já viu! Como você deve ter vivido feliz nesse lugar!

— Feliz? Hum... — disse o pinheiro, pensativo. — É, foi um tempo bom, aquele.

Em seguida, falou-lhes sobre a noite de Natal e descreveu os enfeites e presentes que lhe haviam posto entre os ramos.

— Oh! — exclamaram os camundongos. — Foi uma noite de glória para você, meu velho!

— Já disse que não sou velho! — protestou novamente o pinheiro. — Acabo de ser colhido na floresta. Estou na flor da juventude. Só parei de crescer porque fui cortado.

— Você conta muito bem suas histórias. Amanhã voltaremos aqui e vamos trazer alguns de nossos amigos.

Na noite seguinte, os dois reapareceram, trazendo consigo quatro companheiros. O pinheiro teve de contar-lhes de novo sua história, sem esquecer o episódio da noite de Natal. Quanto mais falava, mais nitidamente se lembrava de tudo o que lhe acontecera. Quando terminou sua descrição, comentou, mais para si próprio que para os seis camundongos que o escutavam com interesse:

— Sim, que tempo feliz foi aquele! E esse tempo há de voltar. Vejam o que aconteceu com o João Redondo: caiu da escada, espatifou-se todo, e mesmo assim acabou conquistando a princesa.

E lembrou-se daquela graciosa bétula que vira crescer perto dele, na floresta, e à qual havia prestado tão pouca atenção. Só agora via que aquela bétula era uma princesa. Sim, uma princesa, encantadora e elegante. A vozinha fina do pequeno camundongo trouxe-o de volta à realidade do presente:

— Quem é esse tal de João Redondo?

O pinheiro contou-lhes toda a história que havia escutado. Lembrava-se dela inteirinha, tintim por tintim. Os camundongos ficaram tão entusiasmados, que até bateram palmas de contentamento.

Na noite seguinte, novos camundongos vieram, e mais uma vez a história foi contada, para contentamento geral.

Aí, chegou o domingo. À noite, lá apareceram os dois camundongos, trazendo dessa vez outros acompanhantes: duas ratazanas feias e antipáticas.

O pinheiro repetiu a história, mas elas não a apreciaram, dizendo que aquilo não passava de uma baboseira muito sem graça. Os dois camundongos ficaram tristes com esse comentário, mas tiveram de concordar, pois já estavam cansados de escutar sempre a mesma narrativa.

— Essa história é muito chata — disse uma das ratazanas. — Sabe outra melhor?

— Infelizmente, não — desculpou-se o pinheiro. — Essa eu escutei na noite mais feliz de minha vida. Pena que eu não sabia disso naquela ocasião.

— Não sei como se pode gostar de uma história boba dessas — disse a outra ratazana. — Não conhece nenhuma que se passe dentro de uma despensa? Uma que aconteça entre velas de sebo e nacos de toucinho?

— Não — disse a árvore.

— Nesse caso — disseram as ratazanas — não temos nada que conversar.

E foram-se embora, seguidas pelos camundongos. Nenhum deles jamais retornou, deixando o pobre pinheiro de novo triste e solitário.

"Como foi bom quando aqueles animaizinhos espertos se reuniam ao redor de mim, escutando atentamente o que eu lhes contava. Pena que acabou. Mas não devo ficar aqui para sempre. Algum dia, hei de ser feliz novamente. Espero que em breve."

Finalmente, certa manhã, dois empregados subiram até o sótão e começaram a remexer em tudo o que havia por lá. Estavam fazendo uma limpeza. Tiraram as caixas e os trastes velhos, levando-os para baixo. Por fim, arrastaram o pinheiro sem muito cuidado pela escada abaixo, atirando-o no meio do pátio.

"A vida recomeça!", pensou ele, sorvendo o ar fresco e aquecendo-se ao sol. Tudo estava acontecendo tão rapidamente, que ele nem se deu ao trabalho de reparar em si próprio, de tão excitado que estava em contemplar o mundo que o rodeava. Ao redor do pátio havia um jardim, cheio de arbustos e árvores em flor. Uma roseira estendia seus ramos sobre a cerca, ostentando lindas flores que espalhavam um doce perfume no ar. Os botões de tília já começavam a se abrir. Uma andorinha passou voando por perto, e cantou:

— Tuí, tuí! Meu amor chegou!

O pinheiro pensou que ela cantava em sua homenagem. Mas não era.

— Agora eu vou viver! — exclamou alegremente, estendendo os galhos para a frente.

Só então notou que suas folhas em forma de agulhas estavam amarelas e murchas. Ele tinha sido jogado num canto abandonado do quintal, onde cresciam urtigas e ervas daninhas. A estrela dourada ainda estava presa em sua copa, reluzindo ao sol.

Duas crianças brincavam ali por perto. O pinheiro lembrou-se de tê-las visto dançando alegremente ao seu redor, na noite de Natal. Uma delas avistou a estrela e correu em sua direção. Para pegá-la, não se importou de pisar com suas botinas os galhos do pinheiro, fazendo com que vários deles se quebrassem. Por fim, arrancou a estrela, ergueu-a como se fosse um troféu e gritou:

— Veja o que encontrei nesta árvore de Natal velha!

O pinheiro contemplou as plantas viçosas que o rodeavam, e depois olhou para si próprio. Arrependeu-se de ter desejado sair do sótão escuro, pois ali não podia ver como estava murcho e decadente. Lembrou-se de sua juventude na floresta, da gloriosa noite de Natal, dos camundongos que tanto apreciaram a história de João Redondo, quando contou pela primeira vez.

— Oh — gemeu —, tudo acabou! Por que nunca consegui enxergar que era feliz, sempre imaginando que a felicidade ainda estava por vir? Eu podia ter me divertido tanto! Podia ter curtido a vida! E agora, que me resta? Nada, nada, nada...

Um dos criados veio e picou a árvore, transformando-a em uma pequena pilha de achas de lenha. A cozinheira levou-as para dentro, colocando-as no fogão e atiçando-lhes fogo. As achas arderam instantaneamente, entre rangidos e estalos. As crianças, no pátio, escutaram o barulho e vieram correndo para a beira do fogão, aproveitando os estampidos para brincar de tiroteio.

O crepitar da lenha eram os últimos gemidos do que restava do pinheiro. A cada soluço, ele se lembrava de um dia claro de verão que desfrutara na floresta, ou de uma fria noite de inverno, com o céu recamado de estrelas. Vieram-lhe à mente as recordações daquela gloriosa noite de Natal e da história de João Redondo, a única que um dia escutou, a única que sabia contar. Por fim, dele só restaram cinzas.

As crianças voltaram ao pátio para brincar. O menorzinho espetara na camisa a estrela dourada, fixando-a à altura do peito. Era o último enfeite que havia sobrado daquela que fora a noite mais memorável da vida do pinheiro. Mas isso tinha sido há muito tempo, e em breve a própria estrela dourada já não mais existiria, teria o mesmo fim do pinheiro, teria o mesmo fim desta história, já que todas as histórias — mesmo as mais compridas — inevitavelmente chegam ao seu fim.

A Colina dos Elfos

Lagartos corriam pelo tronco de um velho carvalho, entrando e saindo das muitas fendas e gretas que nele havia. Todos falavam em lagartês, que é a língua dos lagartos, podendo desse modo entender-se uns aos outros.

— Toda noite, tem havido uma zoeira infernal lá na colina onde vivem os elfos — dizia um deles. — Você também ouviu? Eu não tenho conseguido pregar o olho há duas noites seguidas. Se continuar assim, vou acabar tendo uma bruta dor de cabeça.

— Ah, sim, está acontecendo alguma coisa lá em cima — comentou outro lagarto. — A noite passada, eles ergueram o topo da colina e o deixaram assentado sobre quatro pilares vermelhos, até a hora em que o galo cantou. Certamente, estavam querendo arejar sua casa, já que moram dentro dela. As jovens elfas estão aprendendo uma nova dança, e ficam por horas a fio socando o chão com os pés. É, não há dúvida: tem algo acontecendo lá em cima.

— Estive conversando com uma minhoca que é muito minha amiga — disse outro lagarto —, e que tinha acabado de vir lá da colina, depois de passar dois dias cavucando por lá. Ela escutou muita coisa enquanto trabalhava. A coitada é cega, mas, em compensação, escuta longe e tem uma sensibilidade de fato fantástica. Disse que os elfos estão esperando visitas ilustres para breve. Ela não conseguiu saber quem são esses visitantes, mas ouviu dizer que os fogos-fátuos foram convidados a realizar uma procissão de tochas. Estão limpando e polindo todas a pedras de ouro e de prata que há lá na colina — e como tem ouro e prata lá em cima! — e deixando-as expostas à luz da lua, para aumentarem seu brilho.

— Quem serão esses visitantes? — indagaram todos os lagartos. — Que será que está para acontecer? Os elfos estão trabalhando para valer! Pelo barulho que fazem, vê-se que não estão tendo descanso.

Nesse momento, abriu-se a colina dos elfos e de dentro dela saiu uma velha elfa, oca nas costas como todos os elfos, vestida com muito apuro. Era a governanta do rei e sua prima distante. Como símbolo de sua posição, usava na fronte um coração feito de âmbar. Deus do céu, como corria! Rápida como o vento, entrou no pântano e dirigiu-se ao lugar onde vivia o noitibó.

— O senhor está convidado a comparecer na Colina dos Elfos esta noite — disse ela. — Peço-lhe ainda o favor de distribuir os convites. É o mínimo que pode fazer, já que não tem casa própria para retribuir a hospitalidade que irá usufruir. Vamos receber visitantes de alta consideração, duendes da maior importância, e o Rei dos Elfos gostaria de deixá-los bem impressionados com sua corte.

— A quem devo levar os convites? — perguntou o noitibó.

— Ao grande baile, qualquer um poderá comparecer — respondeu a governanta do rei. — Até mesmo seres humanos poderão ir, desde que possuam algum dom parecido com os nossos, como a faculdade de falar dormindo, por exemplo. Mas a recepção de hoje à noite deve ser mais selecionada. Nessa, só poderão comparecer aqueles que possuem um "status" mais considerável. Já discutimos, eu e o Rei, a respeito desse assunto. A meu ver, não deverão ser convidados fantasmas e assombrações. O velho Tritão do Mar e as sereias, suas filhas, devem ser os primeiros da lista de convidados. Eles não gostam de ficar no seco; por isso, faça o favor de dizer-lhes que estamos providenciando para eles assentos feitos de pedra-d'água, senão mesmo de material mais úmido. Trata-se de um compromisso, não deixe de dizer-lhes, pois não queremos de modo algum receber uma recusa por parte de convidados tão nobres. Em seguida, leve os convites aos velhos duendes, gnomos e gênios que encontrar, mesmo àqueles que tenham cauda, mas desde que sejam de linhagem nobre e distinta. Quando for convidar a Mãe-d'Água, não deixe de estender o convite a seu esposo, o Pai-d'Água, e à senhora sua mãe, a Avó-d'Água. Pode também chamar os maiorais da turma que vive nos cemitérios: o Porco Sujo, a Mula-sem-Cabeça, o Lobisomem, e os que frequentam as igrejas: o Duende Sineiro, o Três-Pernas; enfim: todos aqueles que têm ligação com o clero. Esse fato não é empecilho para que venham à festa, ainda mais quando se sabe que somos aparentados e nos visitamos eventualmente.

— Cró! — respondeu o noitibó, saindo imediatamente para desincumbir-se de sua tarefa.

As donzelas elfas já estavam dançando no topo da colina. Sobre os ombros traziam longos xales tecidos de neblina e luar. Estavam muito bonitas, para quem gosta desse gênero de beleza.

O grande salão situado no interior da colina tinha passado por uma arrumação em regra. O chão fora lavado com luar, e todas as paredes tinham sido enceradas com banha de morcego, até brilharem como pétalas de tulipa.

Na cozinha, assavam-se rãs no espeto e cozinhavam-se postas de cobra recheadas com dedinhos de crianças recém-nascidas. As saladas estavam sendo preparadas com esmero: havia profusão de sementes de cogumelo dispostas caprichosamente em bandejas, guarnecidas com focinhos de camundongo. Para temperar, havia numerosas galhetas cheias de suco de cicuta. O vinho era especial: tinha sido envelhecido em tumbas e era feito de puro salitre. Para quem preferisse, havia garrafas e mais garrafas da famosa cerveja fabricada pela Bruxa do Pântano. Como se pode ver, era um cardápio digno de um lauto banquete, embora um tanto conservador. Para a sobremesa, seriam servidos pregos enferrujados e cacos de vitrais de igreja.

A coroa do rei tinha sido polida com pó de giz, recolhido no chão de uma sala de aula, junto às carteiras dos alunos muito estudiosos — ou seja, um pó de giz difícil de se conseguir.

Nos quartos destinados aos hóspedes estavam sendo penduradas cortinas limpas, todas engomadas com saliva de cobra. Por toda parte, todos estavam atarefadíssimos, trabalhando sem descanso. Daí o alarido que se ouvia nos arredores da Colina dos Elfos.

— Ufa! — dizia a governanta do rei. — Só falta defumar tudo com crina de cavalo e cerdas de porco, para encerrar minha tarefas.

— Oh, paizinho, por favor — suplicava a filha caçula do rei —, deixe de fazer mistério e conte-me quem são os tais convidados importantes!

— Está bem, filhinha, já é hora de revelar o segredo — concordou o rei. — Duas de vocês já estão na idade de se casar. Vamos receber a visita do Rei dos Gnomos, que vive na Noruega, no castelo de Dovre. Esse castelo, todo de granito, é tão alto, que suas torres estão sempre recobertas pelas neves eternas. Ele é dono de uma mina de ouro, o que não deixa de ser um belo patrimônio, embora as más línguas afirmem que ela está esgotada, e já deu o que tinha que dar. Seus dois filhos vêm em sua companhia; são rapazes que também estão em idade de casar. O velho Gnomo-Rei é um norueguês típico: honesto, jovial, sincero. Conheço-o há muito tempo. Ficamos amigos quando ele veio à Dinamarca para se casar. Sua esposa era a filha do Rei dos Penhascos Calcários de Möen — coitada, já morreu há muitos e muitos anos... Não vejo a hora de reencontrar meu velho camarada... Disseram-me que seus filhos foram muito mimados em crianças, tornando-se dois rapazolas pretensiosos e mal-educados. Não sei se é verdade; independentemente disso, o tempo haverá de corrigir seus maus modos. Quero ver se minhas filhas saberão levá-los para o bom caminho.

— Quando chegarão? — perguntou a filha mais velha.

— Depende do tempo e dos ventos — suspirou o rei. — Estão vindo de navio. Sugeri que viessem pela Suécia, mas o velho Gnomo-Rei é conservador, não acompanha a evolução dos tempos, o que me parece uma coisa muito errada.

Nesse instante, dois fogos-fátuos entraram correndo no salão. O que chegou primeiro foi logo dizendo antes do outro:

— Estão chegando! Estão chegando!

— Minha coroa, rápido! — ordenou o rei dos elfos. — Vou recebê-los lá fora, ao luar.

Saiu acompanhado das filhas, que ergueram os xales e se inclinaram até tocar a cabeça no chão.

Eis que chegou o convidado ilustre: o Gnomo-Rei de Dovre! Sua coroa era feita de gelo e guarnecida de pinhas polidas. Trajava um capote de pele de urso e botas de alpinista. Seus filhos, por outro lado, usavam roupas leves e esportivas, dispensando os suspensórios e trazendo as golas abertas ao peito. Eram dois rapagões robustos e desempenados.

— Onde está a tão falada Colina dos Elfos? — perguntou o mais novo dos dois. — É isto aqui? Ha, ha, ha! Na Noruega, chamamos isto de buraco!

— Que asneira é essa? — repreendeu o velho Gnomo-Rei — Buracos são côncavos; colinas são convexas. Não tem olhos para enxergar isso?

Uma coisa que muito surpreendeu os dois rapazes foi o fato de entenderem perfeitamente a linguagem local, e ambos manifestaram sua admiração, pois não tinham ideia de que o dinamarquês e o norueguês fossem línguas praticamente idênticas.

— Não precisam exibir sua ignorância — zangou-se o pai. — Parece que nasceram ontem! Tratem de causar boa impressão aos nativos.

Entraram no salão, que estava apinhado de convidados. Tinham chegado tão depressa, que até parecia terem sido trazidos pelo vento. O velho Tritão e suas filhas sereias estavam bem acomodados em tinas cheias de água, sentindo-se perfeitamente à vontade. Todos portavam-se à mesa com a maior distinção, exceto os dois filhos do Gnomo-Rei. Logo que se sentaram puseram, os pés sobre a mesa, sem a menor consideração para com os outros convidados. O pai ficou possesso ao ver aquilo:

— Vá lá que ponham os pés sobre a mesa, mas tirem-nos já de dentro dos pratos! — berrou.

Com má vontade, os dois obedeceram. Voltando-se para as duas jovens elfas sentadas ao seu lado, puseram-se a conversar. De vez em quando, divertiam-se com as duas, passando-lhes raminhos de pinheiro na nuca, para fazer cócegas.

Quando a ceia estava pela metade, tiraram as botinas para ficar mais à vontade, entregando-as aos jovens para que as segurassem.

O velho Gnomo-Rei era bem diferente de seus filhos. Deixou os convivas encantados com suas descrições das paisagens norueguesas; as montanhas altaneiras, os rios e regatos cristalinos, que despencavam pelas encostas das falésias, esvaindo-se em bolhas e espuma, precipitando-se embaixo com um fragor que era a um só tempo trovoada e som de órgão. Falou depois sobre o salmão, que nadava cachoeira acima, enquanto as ninfas do rio dedilhavam suas harpas de ouro. Trouxe à imaginação de todos a imagem de uma calma noite de inverno, quando se pode escutar o retinir dos guizos presos aos trenós e contemplar os jovens patinadores, empunhando archotes acesos, deslizando sobre a crosta lisa como um espelho dos lagos congelados, transparentes a ponto de deixar ver os peixes que nadam aterrorizados abaixo de seus pés. Sim, ele sabia como contar uma história, fazendo com que todos os ouvintes escutassem o alarido das serrarias e as cantigas entoadas pelos jovens quando dançavam acrobaticamente o "halling". No meio da narração, o velho Gnomo-Rei, tomado de entusiasmo, gritou "Hurra!" e, voltando-se para a dama que estava ao seu lado, deu-lhe um beijo tão estalado, que o barulho pôde ser ouvido em todo o salão.

— Foi um beijo de irmão — explicou meio sem jeito, pois a dama não tinha sequer parentesco longínquo com ele.

Chegou o momento da dança das jovens. Primeiro, bailaram levemente, como mandava a tradição. Depois, puseram-se a pisotear com agilidade, mostrando a dança que haviam ensaiado especialmente para aquela ocasião. O número final era difícil de executar: chamava-se "Doidança". Como rodopiavam as bailarinas! Era difícil saber o que eram pernas e braços, quem estava de pé e quem estava de cabeça para baixo! Só de ficar olhando, a coitada da Mula-sem--Cabeça ficou tonta, começou a sentir-se mal e teve de sair da mesa às pressas.

— Uau! — exclamou o velho Gnomo-Rei. — Já vi que são ágeis de pernas e dançarinas fantásticas! Tirante isso, que mais sabem fazer suas filhas?

— Elas mesmas irão mostrar-lhe — respondeu o rei, chamando a filha mais nova.

Pálida como o luar, era ela a mais delicada das irmãs. Levando uma varinha de condão à boca, desapareceu — essa era sua maior habilidade. O Gnomo-Rei não apreciou a mágica, dizendo que não gostaria de ter uma esposa dotada desse tipo de talento, e que seus filhos certamente haveriam de concordar com ele nesse ponto.

A segunda jovem conseguia desdobrar-se em duas, andando ao lado de si própria como se fosse uma sombra, coisa que elfos e gnomos não têm.

O talento revelado pela terceira irmã era completamente diferente. Ela havia trabalhado como ajudante da Bruxa do Pântano, com quem aprendera a fabricar cerveja e a ornamentar troncos dos sabugueiros, enchendo-os de pirilampos.

— Essa aí dará uma boa dona de casa — disse o Gnomo-Rei, piscando um olho para ela e pensando em erguer-lhe um brinde, mas logo desistindo da ideia, ao notar que já passara da conta.

A seguir, apresentou-se a quarta irmã, trazendo consigo uma harpa de ouro. Quando dedilhou a primeira corda, todos os presentes ergueram a perna esquerda (pois os duendes e elfos são canhotos); quando dedilhou a segunda, todos ficaram à sua mercê, tendo de obedecer-lhe cegamente.

— Essa mulher aí é muito perigosa! — comentou o Gnomo-Rei.

Entediados com tudo aquilo, seus dois filhos esgueiraram-se para fora do salão.

— E você, minha filha — perguntou ele para a jovem que aguardava a sua vez —, o que sabe fazer?

— Aprendi a amar a Noruega — respondeu ela —, e não admito ter um marido que não seja norueguês.

Mas a filha caçula do rei dos elfos cochichou-lhe ao ouvido:

— Ela só diz isso porque escutou uma poesia norueguesa vaticinando que, quando o mundo acabar, as montanhas da Noruega permanecerão de pé, como se fossem sua lápide funerária, e ela se pela de medo de morrer...

— Ha, ha, ha! — riu o Gnomo-Rei. — O que ela encobriu, você descobriu. Vejamos agora o talento da sétima e última jovem.

— Calma — disse o rei dos elfos, que era bom de matemática. — Antes da sétima, vem a sexta.

Mas a penúltima filha era tão tímida, que nem quis se apresentar diante do convidado. Sem sair de onde estava, sussurrou:

— Só sei dizer a verdade, e isso ninguém quer escutar. Assim, passo meu tempo atarefada, costurando minha mortalha.

Chegou então a vez da sétima e última das filhas do rei. Qual era sua habilidade? Ela sabia contar histórias de fadas, tantas quantas alguém quisesse escutar.

— Eis aqui meus cinco dedos — disse o Gnomo-Rei, estendendo a mão aberta. — Conte uma história a respeito de cada um deles.

A jovem elfa tomou-lhe a mão e começou a desfiar suas histórias. O Gnomo-Rei quase arrebentava de tanto rir. Quando ela ia iniciar a quarta história, acerca do dedo anular, que por sinal estava enfiado num belo anel de ouro, como se estivesse pressentindo no ar alguma perspectiva de noivado, e o tomou em suas mãos, o Gnomo-Rei exclamou:

— Já que pegou, agora é seu! Sim, eu lhe dou minha mão! Você vai se casar é comigo!

A moça protestou, dizendo que ainda faltavam duas histórias: a daquele dedo e a do mindinho, que era bem curtinha.

— As duas podem esperar — replicou o Gnomo-Rei. — Podemos escutá-las no próximo inverno, além de outras que você também poderá contar, como a do pinheirinho, a da vara de marmelo, a do frio cortante, a do presente das ninfas e tantas outras. Na Noruega, apreciamos muito as histórias de fadas, mas ninguém de lá sabe contá-las. Vamos sentar-nos em meu salão de paredes de pedra, iluminado por tochas feitas de resina de pinheiro, enquanto bebemos hidromel nos chifres de ouro que pertenceram aos antigos reis vikings. Tenho dois desses chifres, que ganhei de presente das ninfas do rio. Meu amigo Eco, que é magro e alto, virá divertir-nos com suas canções, as mesmas que as pastoras cantam quando levam o gado para as pastagens. Ah, vai ser bom demais! Até o salmão saltará do rio e virá bater nas paredes do castelo, pedindo para entrar, mas não lhe abriremos a porta. Sim, menina, pode acreditar: a Noruega é um lugar delicioso para se viver! Mas... e meus filhos, aonde foram parar?

Sim, onde estariam eles? Estavam a correr pelos campos, divertindo-se em apagar a chama dos pobres fogos-fátuos, que aguardavam pacientemente a hora de darem início à procissão das tochas.

— Que negócio é esse de ficarem por aí correndo feito desesperados? — repreendeu o pai. — Venham conhecer a mãe que escolhi para vocês. Entre as tias que acabam de ganhar, escolham duas para esposas.

Os rapazes, porém, recusaram o convite, dizendo que preferiam ficar rodando por ali, participando das comemorações, dos brindes e dos discursos. Casamento? Nem pensar! E ali ficaram eles, brindando entre si e fazendo discursos um para o outro. Depois de cada brinde, viravam as taças de borco, mostrando que estavam vazias, para que alguém logo as enchesse de novo. Por fim, sentindo-se afogueados e sonolentos, tiraram as camisas e se deitaram de comprido sobre a mesa. Vendo o espanto dos demais, disseram simplesmente:

— Conosco é assim: não gostamos de cerimônia.

O velho Gnomo-Rei dançou animadamente com sua jovem noiva, e depois trocou de botas com ela, dizendo que aquele ato simbólico era mais elegante que trocar de anéis.

— Ouçam — alertou a velha governanta, sempre atenta a tudo o que acontecia: — o galo cantou! Temos de cerrar a abertura, ou do contrário seremos torrados pelo sol.

E a Colina dos Elfos fechou-se.

Pelo tronco oco do carvalho, os lagartos voltaram a subir e descer.

— Gostei muito daquele velho Gnomo-Rei norueguês — comentou um deles.

— Achei seus filhos mais simpáticos — retrucou a minhoca.

Mas sua opinião não foi levada em conta, pois a pobre criatura não podia enxergar.

A Velha Casa

Havia naquela rua uma casa muito velha, construída há quase trezentos anos. Lia-se em seu frontispício a data de construção, em números grandes, rodeados artisticamente por ramos e flores de madeira lavrada. Sobre a porta de entrada estava gravado um verso poético, e em cima de cada janela fora esculpida uma face sorridente. Era um sobrado, e o andar de cima projetava-se à frente do inferior. Do teto pendia uma calha de metal, em forma de dragão, ficando a cabeça do monstro na parte de baixo, por onde a água deveria escoar-se; entretanto, por causa das inúmeras gretas e fendas nela existentes, o jorro de água jamais chegava à boca do dragão, esguichando por vários pontos de sua barriga.

Todas as demais casas daquela rua eram novas e bem conservadas, com paredes retas e bem pintadas, e com janelas grandes e bonitas. Era natural que se sentissem superiores àquele antigo pardieiro. Se soubessem falar, provavelmente teriam dito:

— Ai, ai, ai; por quanto tempo ainda teremos de tolerar a vizinhança dessa ruína decadente? Vejam aquelas janelas, projetando-se sobre a calçada: que coisa mais fora de moda! Além do mais, impedem que enxerguemos o que está do outro lado. Coitada: deve achar que é um palácio, a julgar pela largura dos degraus da frente. Aquele corrimão de ferro batido, meu Deus! Parece grade de sepultura! E as maçanetas de bronze, hein? Que mau gosto!

Em frente à casa velha havia uma nova, que tinha a seu respeito a mesma opinião das outras. Mas nela morava um menino de bochechas coradas e olhos brilhantes, que gostava de sentar-se à janela para contemplar o velho casarão, fosse à luz do dia, fosse de noite, ao luar. Olhando para aquelas paredes rachadas e cheias de falhas, nos lugares onde o reboco havia caído, imaginava como teria sido aquela rua no passado, quando todas as suas casas tinham escadarias largas que levavam às portas de entrada, projetando seu segundo andar sobre a calçada, encimado por uma cumeeira estreita e pontuda. Podia até ver os soldados marchando pela rua, armados de alabardas. Sim, senhor, era uma casa que valia a pena contemplar, pelo tanto que ela fazia a gente imaginar e sonhar.

Nela morava um ancião que se vestia à moda antiga, com calças muito largas, um casaco com botões de metal e uma peruca daquelas que há tempos não se usam mais. Toda manhã, lá chegava um velho criado que arrumava a casa e fazia os serviços de rua. O resto do tempo, o ancião vivia inteiramente só. Às vezes, costumava chegar-se à janela e ficar olhando para a rua. Nesses momentos, o menino fazia-lhe um aceno com a cabeça, ao que ele sempre respondia com outro. Desse modo, acabaram por tornar-se conhecidos: não, mais do que isso: por tornar-se amigos, ainda que nunca tivessem trocado uma só palavra.

Um dia, o garoto ouviu seus pais comentando:

— Coitado do velho... É tão solitário...

No domingo seguinte, fez um pacotinho e, quando viu que o velho criado estava chegando, atravessou a rua e deu-lhe o embrulho, pedindo:

— Faça o favor de entregar isso ao seu patrão. É um soldadinho de chumbo. Como eu tenho dois, quero dar um para ele. Vamos ver se, assim, o velho já não fica mais tão solitário.

O criado achou graça, agradeceu com um sorriso e entregou o pacotinho ao patrão. Pouco tempo depois, foi entregue na casa do garoto um cartão, convidando-o a visitar o velho que morava em frente. Seus pais consentiram, e lá se foi ele conhecer o vizinho e a velha casa.

Os enfeites de bronze sobre o corrimão da escada estavam tão brilhantes, que era de se supor terem sido polidos em homenagem ao jovem visitante. Na grande porta de carvalho maciço, os tocadores de clarim ali esculpidos pareciam dar tudo de si para saudá-lo, pois suas bochechas estavam inchadas, de tanta força que faziam. Quase se podia escutar o som da fanfarra: "Tará-tará-tará-tatá! Olha o menino chegando! Viva ele! Tará-tará-tará-tatá!"

A porta foi aberta e ele entrou no vestíbulo. Todas as paredes estavam cobertas com quadros, representando damas em vestidos compridos de seda, e cavaleiros de armadura. Em sua imaginação, chegou a escutar o farfalhar das saias e o rangido dos elmos e morriões. Em frente, via-se uma escadaria que, primeiro, subia; depois, descia alguns degraus, dando para uma sacada em mau estado de conservação. Ervas brotavam de todas as fendas, dando antes a ideia de que se tratava de um jardim, se bem que muito malcuidado. Ali chegando, o menino viu uma fileira de vasos antigos, com caras de gente e orelhas de burro. Neles, as plantas cresciam ao deus-dará, deitando ramos em todas as direções. Um pé de cravo, cujas flores ainda não haviam brotado, parecia estar dizendo: "A brisa abraçou-me, o sol beijou-me, e ambos me prometeram que uma flor nasceria de mim no próximo domingo. Tomara que esta semana passe depressa."

O criado levou-o até um aposento cujas paredes eram revestidas não de papel, mas de couro, todo estampado de flores douradas. Olhando-as de perto, ouviu que a parede dizia:

> Não dura muito tempo o ouro,
> Mas nunca se desfaz o couro.

Viam-se no aposento cadeiras de encosto alto, feitas de madeira entalhada. Quando o menino ali entrou, elas logo o saudaram, dizendo:
— Venha cá, sente-se!
Ele sentou-se numa delas, mas levantou-se quando ela gemeu:
— Ai, minhas costas! Não tenho forças nem para aguentar o peso de um menino! Estou rangendo toda, pobre de mim! Devo estar com reumatismo, feito aquele velho armário... Nhém-nhém!
Dali ele foi para o cômodo cujas janelas davam para a rua. Era ali que estava o velho. Sorrindo, ele agradeceu:
— Olá, vizinho. Que bom vê-lo por aqui. Muito obrigado pelo soldadinho de chumbo. Gostei muito.
Todos os móveis do cômodo rangeram, como se também estivessem dizendo: "Obrigado!". Eram cadeiras, mesas e armários, todos querendo ver o jovem visitante que ali chegava.
No meio de uma das paredes havia um quadro com o retrato de uma garota muito bonita, se bem que vestida à moda antiga. Ela ria e olhava para ele de modo gentil, mas não lhe dirigiu qualquer palavra de saudação ou de agradecimento. Voltando-se para o velho, o menino perguntou:
— Onde arranjou esse quadro?
— Numa loja de penhores. Lá havia muitos retratos de pessoas que morreram há muito tempo. Ninguém se lembra mais delas. Mas essa daí, eu conheci. Ela já morreu. Sabe há quanto tempo? Há cinquenta anos!
Embaixo do quadro, dentro de um vidro, havia um ramalhete de flores secas. Por certo, tinham sido colhidas cinquenta anos atrás. Ao lado, o pêndulo do velho relógio de parede ia e vinha, enquanto os ponteiros avançavam lentamente, lembrando que tudo ali envelhecia, à medida que o tempo passava.
— Ouvi meus pais dizendo que o senhor é muito solitário.
— Hum — replicou o velho —, mais ou menos. Recebo sempre a visita de velhos pensamentos, sonhos e recordações. E até mesmo de pessoas. Agora, por exemplo, você veio visitar-me. Não se preocupe, pois não sou infeliz.

Tirou da estante um livro ilustrado com gravuras belíssimas, representando cortejos antigos, com carruagens douradas, cavaleiros armados, reis que lembravam os de baralho e artífices portando os emblemas de suas profissões. O dos alfaiates, por exemplo, mostrava uma tesoura aberta, segura por um leão; o dos sapateiros, uma águia de duas cabeças — não é de se estranhar, pois esses profissionais fazem tudo aos pares. Na verdade, era um livro maravilhoso!

O velho deixou-o ali e foi para o interior da casa, voltando de lá com uma cesta cheia de doces, nozes e maçãs. Via-se que queria agradar ao jovem visitante. Nesse momento, o soldadinho de chumbo, postado sobre a tampa de uma arca, queixou-se:

— Não quero ficar aqui! É muito triste e solitário. Quem viveu numa casa de família não se acostuma com esta solidão. Se os dias são compridos, as noites custam demais a passar. Na outra casa, os pais estavam sempre conversando, e as crianças tagarelando e brincando. Aqui, não: é só silêncio, nunca se ri. Ninguém vem conversar com esse velho, abraçá-lo, beijá-lo... ninguém! Chega o Natal, e nada de árvore ou de presentes. Parece que ele só está esperando que venha a morte para tirá-lo dessa solidão. Não, não quero mais viver aqui!

— Deixe de falar bobagem! — repreendeu o menino. — Aqui é um bom lugar para se viver. Participe das lembranças e dos sonhos do velho, ora...

— Lembranças? Sonhos? Nunca os vi, e nem quero ver. O que quero é ir embora daqui!

— Pois trate de tirar essa ideia da cabeça.

Essa conversa transcorreu enquanto o velho estava buscando a cesta com os doces e frutas, encerrando-se logo que ele retornou ao aposento. À vista das guloseimas, o menino esqueceu-se inteiramente do soldadinho de chumbo.

Encerrada a visita, o garoto voltou para casa, feliz e contente. Passaram-se os dias e as semanas. Ele continuou a cumprimentar o velho quando o via assomar à janela engraçada de sua casa, sendo sempre correspondido pelo vizinho com um aceno de cabeça. Um dia, chegou outro convite para que fosse lá visitá-lo.

Os clarins soaram à sua chegada: "tará-tará-tará-tatá! Chegou o menino! Tarará!" As espadas dos cavaleiros retiniram contra suas armaduras, ouviu-se de novo o ruge-ruge das saias de seda das damas, a parede forrada de couro sussurrou seu versinho e as cadeiras que sofriam de reumatismo voltaram a gemer e estalar. Nada havia mudado na velha casa, onde um dia era sempre igual ao outro.

— Quero ir embora daqui — lamentou-se o soldadinho de chumbo, ao ver seu antigo dono. — Tenho chorado lágrimas de chumbo derretido! Este lugar é triste e lúgubre. Por favor, leve-me daqui. Prefiro perder os braços e as pernas na guerra, do que continuar nesta casa, onde nada acontece! Esse negócio de deixar que as velhas lembranças nos venham visitar nada tem de divertido. Quase me deixei cair deste tampo de arca ao chão, quando as minhas apareceram por aqui. Vi nitidamente todos vocês e a minha própria casa, como se estivessem à minha frente. Era uma cena das manhãs de domingo: as crianças em torno da mesa, cantando hinos sacros, enquanto os adultos se mantinham em posição respeitosa. Súbito, abriu-se a porta da sala e ali entrou a pequena Maria, que só tem dois aninhos. Ela sempre dança quando escuta música. Ouvindo que cantavam, quis dançar, mas encontrou dificuldade, pois os hinos sacros são cantados em ritmo muito lento. Ao primeiro compasso, ela se apoiou sobre o pé esquerdo e inclinou a cabeça para a frente; ao compasso seguinte, trocou de pé, e novamente inclinou a cabeça, e assim prosseguiu, enquanto todos fingiam não vê-la, tentando manter-se sérios e compenetrados. Vocês conseguiram aguentar firmes, mas eu não: estourei de tanto rir; por dentro, é claro; ri tanto, que acabei caindo da mesa, o que me deixou com um galo na testa. E bem que mereci o castigo, pois aquele não era o momento de rir. Bem feito. É nisso que dá deixar que as velhas lembranças e memórias nos venham visitar. Diga-me, vocês ainda cantam hinos e salmos, aos domingos de manhã? E como vai a pequena Maria? E meu velho camarada, o outro soldadinho de chumbo, como está? Ah, se eu pudesse trocar de lugar com ele... Não aguento mais! Quero ir embora!

— Mas dei você de presente! Agora, esta é sua casa. Não compreende isso?

O velho chegou, carregando uma gaveta cheia de coisas maravilhosas. Havia ali um baralho antigo, com cartas de bordas douradas, além de um cofre em forma de porquinho e um peixe de metal, cuja cauda ondulava, quando era apertado. O menino pediu para examinar outras gavetas, e o velho permitiu. Todas estavam cheias de objetos curiosos. Só então notou que havia um móvel diferente naquela sala, parecido com um piano. O velho explicou que era um cravo e abriu o tampo para mostrar-lhe as teclas. O interior do instrumento era decorado com a pintura de uma paisagem. O velho sentou-se na banqueta e começou a tocar uma música, cantarolando baixinho, embora o cravo estivesse bem desafinado.

— Ah, como ela gostava de cantar essa música... — suspirou, erguendo os olhos para o retrato que pendia da parede.

O menino observou que, naquele instante, os olhos do velho brilharam como se fossem os de um rapaz.

— Vou para a guerra! Para a guerra! — gritou o soldadinho de chumbo, despencando em seguida do alto da arca.

— Ora — estranhou o velho —, como é que esse soldadinho de chumbo foi cair dali? Ajude-me a procurá-lo.

Revistaram por todos os lados e cantos, mas não o encontraram.

— Deixe, depois a gente o encontra.

Mas nunca o encontraram. O soldadinho caíra numa greta que havia no chão, e ali ficou para sempre, como se estivesse num túmulo.

Pouco depois, o menino voltou para sua casa.

Passaram-se as semanas e chegou o inverno. As vidraças das janelas cobriram-se de gelo. O menino tinha de bafejar sobre elas para derreter o gelo, fazendo um buraquinho que lhe permitia olhar o movimento da rua. Do outro lado, a velha casa parecia abandonada. A neve acumulava-se nos degraus da escada de frente, sem que alguém viesse limpá-los. De fato, ali não havia mais quem o fizesse, pois o velho tinha estado de cama, e acabava de morrer.

À noite, um coche fúnebre parou diante da casa. Pessoas subiram os degraus e depois desceram, carregando um caixão. O velho iria ser enterrado num cemitério distante, em sua terra natal. O coche seguiu viagem, sem que pessoa alguma o acompanhasse. Seus parentes e amigos estavam todos mortos. O menino atirou um beijo com os dedos, quando o caixão desapareceu na esquina.

Poucos dias depois, leiloaram os pertences do velho. Um carro veio buscar o que havia dentro da casa. De sua janela, o menino viu tudo. Lá se foram os cavaleiros armados e as damas vestidas de seda. Lá se foram as cadeiras de alto espaldar, e os curiosos vasos em formato de rostos dotados de orelhas de burro. Apenas não encontraram comprador para o quadro da jovem. Ninguém a conhecia, ninguém o quis. Devolveram-no ao antiquário, de onde ele havia saído. E ele ali ficou, esquecido e desprezado.

Na primavera, a casa foi demolida. "Enfim, vão derrubar o pardieiro", comentavam os passantes. "Já não era sem tempo!"

Da rua via-se a sala revestida de couro. As tiras pendiam das paredes, agitando-se ao vento como se fossem bandeiras. As ervas que se viam na varanda continuavam agarradas às vigas e aos caibros que jaziam pelo chão. Finalmente, o entulho foi levado embora e o terreno ficou desnudo e limpo.

— Agora, sim — comentaram as casas vizinhas entre si —, ficou bem melhor.

No lugar da velha casa, construíram uma nova, com paredes retas e janelas grandes. Não ficava rente à rua, como a antiga, mas sim um pouco recuada, deixando espaço para um pequeno jardim, cultivado com trepadeiras, que logo estenderam seus ramos ao longo das paredes. Puseram na frente um gradil de ferro, com um portão no meio. As pessoas paravam diante da casa para contemplá-la, porque ela era de fato bonita de se olhar. Pardais passaram a pousar nos ramos das trepadeiras, tagarelando como sempre, mas nunca falando na velha casa que ali existira, pois eram muito jovens para que a tivessem conhecido.

Passaram-se os anos. O menino cresceu e tornou-se um rapaz distinto e inteligente, do qual os pais muito se orgulhavam. Um dia, ele casou e foi morar na casa nova. Sua jovem esposa gostava de tratar do jardim. Certa vez, lá estava ela plantando flores, enquanto ele a observava com um sorriso nos lábios, quando, de repente, ao socar a terra com as mãos em torno de uma muda, espetou os dedos num objeto pontiagudo que ali estava enterrado. Que seria?

Sabem o que era? Imaginem só: o soldadinho de chumbo! Sim, aquele que tempos atrás caíra da arca e sumira dentro de uma fenda do assoalho! Quando a casa velha fora derrubada, ele havia ficado entre os escombros, acabando enterrado no chão e ali permanecendo durante todos aqueles anos.

A jovem tirou-o da terra e limpou-o com seu lenço perfumado. O soldadinho despertou de seu longo sono, envolto em perfume e saudado com um sorriso.

— Quê? Um soldadinho de chumbo? Deixe-me vê-lo — pediu o rapaz, rindo enquanto o examinava. — Será aquele meu? Até que parece com ele... Mas não, não deve ser o mesmo...

Contou então à jovem esposa como era a velha casa que ali existira, falando do velho que nela morava e relatando o caso do soldadinho de chumbo, que dera de presente ao velho solitário, para fazer-lhe companhia.

Emocionada ao escutar tudo aquilo, a jovem ficou com os olhos marejados de lágrimas.

— Talvez seja o mesmo soldadinho de chumbo — murmurou. — Vou guardá-lo para nunca me esquecer dessa história que você me contou. E quero que me leve ao túmulo de seu velho vizinho.

— Isso não posso fazer, pois não sei onde fica. Aliás, ninguém sabe. Quando ele morreu, todos os seus conhecidos já estavam mortos. E, quanto a mim, eu não passava de uma criança quando toda essa história aconteceu.

— Pobre velho! Deve ter vivido seus últimos anos numa tenebrosa solidão... — suspirou a jovem.

— Isso mesmo, moça — confirmou o soldadinho de chumbo; — na mais completa solidão. — Mas é gratificante saber que ele não foi esquecido de todo.

— Falou bonito, meu caro — disse alguma coisa que estava no chão, bem abaixo do soldadinho.

Era uma tira de couro que no passado revestia a parede da sala, e que havia aflorado à superfície quando ele fora desenterrado. A tinta dourada tinha desaparecido inteiramente, e ela se confundia facilmente com a terra do jardim. Só o soldadinho podia vê-la e ouvi-la. E ela então cantou:

> Não dura muito tempo o ouro,
> Mas nunca se desfaz o couro.

O soldadinho fez-lhe um cumprimento com a cabeça, e nada disse. Em seu íntimo, porém, estava pensando: "Não desfaz, hein? Vai nessa..."

O Trigo-Sarraceno

Costuma acontecer, depois de uma tempestade, que os campos de trigo-sarraceno fiquem enegrecidos, como se tivessem sido queimados. Se a gente perguntar ao fazendeiro qual a razão daquilo, ele por certo dirá que aquela planta foi chamuscada pelos raios, mas não saberá explicar por que a mesma coisa não aconteceu com as outras. Vou contar-lhes o que escutei da boca de um pardal, que por sua vez o tinha ouvido de um velho salgueiro, que se erguia exatamente onde terminava um campo semeado de trigo-sarraceno. Aliás, esse salgueiro até hoje está lá, caso você queira vê-lo. É uma árvore grande, copada e muito bonita; por ser antiga, tem a casca toda enrugada. Ela tem uma rachadura bem no meio, dentro da qual nasceram ervas e até mesmo alguns pés de amora. Seu tronco pende ligeiramente para o lado, e os ramos se inclinam tanto que quase tocam o chão, como se fossem uma longa cabeleira verde.

Ao redor desse salgueiro estendem-se campos lavrados, nos quais foram plantados diversos cereais: centeio, cevada e aveia. Esta última, como é encantadora! Quando amadurecem, os grãos de suas espigas parecem um bando de canários pousados num galho de árvore. Inicialmente, seus talos se erguem gloriosamente na vertical; à medida que se aproxima o tempo da colheita, vão-se vergando ao peso das espigas maduras, até quase se encostarem no chão, assumindo uma atitude mais humilde e respeitosa.

Mas o campo lavrado que se estendia mais perto do salgueiro era mesmo o de trigo-sarraceno. Essa planta não se inclina jamais, mantendo-se sempre ereta e orgulhosa, com suas hastes apontando para o céu.

— Olhe para nós, velho salgueiro — diziam. — Veja: temos espigas como os outros cereais, mas somos bem mais belos. Nossas flores são tão encantadoras como as das macieiras. Todos sentem prazer em contemplar-nos. Você conhece alguma planta que seja tão bonita quanto o trigo-sarraceno?

A velha árvore sacudia a cabeça para cima e para baixo, como se estivesse dizendo:

— Claro que conheço!

Isso deixava os trigos-sarracenos indignados, fazendo com que ficassem ainda mais eretos.

— Que árvore mais estúpida! Está caducando, de tão velha. Olhem para ela: tem até capim crescendo dentro do seu estômago!

O tempo tornou-se ameaçador, anunciando uma tempestade. As flores do campo esconderam suas cabeças dentro das folhas, enquanto o vento assoviava a seu redor. Só o trigo-sarraceno não tomou suas precauções, mantendo-se orgulhosamente de cabeça erguida.

— Façam como nós, companheiros: inclinem as cabeças — aconselhavam as flores.

— Não temos necessidade de fazer isso — replicaram.

— Deixem de ser orgulhosos — gritaram os outros cereais. — Vamos, inclinem-se, que em um minuto chegará o anjo das tormentas, com suas asas enormes, que se estendem das nuvens até o chão. Lá vem ele! Se vocês não se curvarem humildemente ante sua presença, ele os rachará pelo meio!

— Não nos curvaremos, nem nos inclinaremos! — gritaram arrogantemente os trigos-sarracenos.

— Deixem disso — preveniu o velho salgueiro. — Tratem de esconder suas flores e dobrar suas folhas. E não fitem os clarões dos relâmpagos que brilham quando as nuvens estouram. Até mesmo os homens não se atrevem a fitá-los, pois os relâmpagos desvendam o interior do céu, e sua visão é capaz de torná-los cegos. Se eles, que são tão superiores a nós, pobres e humildes vegetais, não se atrevem a contemplar os raios e relâmpagos, por que teriam vocês tal ousadia?

— Superiores a nós? Desde quando? — retrucaram os trigos-sarracenos. — Vamos mostrar a todos vocês quem de fato é superior. Vamos olhar diretamente para dentro do céu e conhecer os segredos que ali estão guardados!

Cheios de orgulho e confiança, ergueram seus olhos para cima, fitando o firmamento que parecia inflamado pelos clarões dos relâmpagos.

A tempestade desencadeou-se com fúria nunca vista. Por fim, o tempo serenou, e apenas uma chuvinha leve caía sobre os campos lavrados. As plantas ergueram suas cabeças e aspiraram o ar fresco e limpo. Só então viram o que havia acontecido aos trigos-sarracenos: estavam todos chamuscados e enegrecidos, mortos e inúteis. Não seria a foice que iria cortar e colher suas espigas, mas o arado que iria arrancá-los do chão e reduzi-los a adubo.

O velho salgueiro sacudiu seus ramos suavemente, fazendo-os ondular ao vento. As gotas de chuva que estavam em suas folhas caíram no chão, fazendo os pardais pensarem que eram lágrimas.

— Por que estás chorando, salgueiro? Vê que tempo lindo está fazendo! O sol brilha e as nuvens flutuam tranquilamente no céu. Não estás sentindo a fragrância perfumada das flores e dos arbustos? Então: por que choras?

O velho salgueiro explicou-lhes que aquilo não eram lágrimas, apenas restos de chuva. Entretanto, ele de fato estava pesaroso com o destino dos trigos-sarracenos, que receberam o merecido castigo pela sua orgulhosa presunção. Assim como a bonança se segue à tempestade, a punição sempre sobrevém aos presunçosos e arrogantes.

O salgueiro contou esta história para os pardais; estes contaram-na para mim, eu agora acabo de contá-la para vocês.

O Rouxinol

Na China, como você sabe, não só o imperador é chinês, como são chineses todos os cortesãos e as pessoas do povo. A história que vou contar aconteceu há muito, muito tempo, e é por isso mesmo que ela deve ser contada, antes que caia no esquecimento.

O palácio do imperador era o mais bonito que havia no mundo. Feito de porcelana, sua construção tinha sido caríssima. Era tão frágil, que todos tinham de tomar o maior cuidado para não tocar em coisa alguma que ali houvesse, o que, convenhamos, não era fácil. Os jardins eram recobertos de flores maravilhosas. Nas mais belas, tinham sido penduradas campainhas de prata, que tilintavam quando alguém passava por perto, fazendo com que a pessoa olhasse obrigatoriamente para elas.

Tudo nesses jardins era arranjado com extremo capricho e cuidado. Eram tão extensos, que nem mesmo o jardineiro-mor sabia onde terminavam. Se alguém se pusesse a caminhar através deles, andava, andava, até entrar numa floresta cheia de árvores altas, que se espelhavam nos numerosos e profundos lagos que ali havia. Essa floresta estendia-se até junto ao mar, tão azul e profundo naquele litoral, que até mesmo os maiores navios podiam costear a terra sob a sombra das copas daquelas árvores.

Nessa floresta vivia um rouxinol. Seu canto era tão mavioso, que até mesmo o pescador, quando passava por ali à noite, a fim de recolher suas redes, parava para escutá-lo, e sempre comentava:

— Como canta bonito! Benza-o Deus!

O pobre homem bem que gostaria de ficar por ali mais tempo, apreciando aquele canto, mas o trabalho não podia esperar, e ele logo esquecia a ave. Na noite seguinte, porém, ao escutá-la mais uma vez, ficava de novo embevecido, repetindo aquela mesma frase:

— Como canta bonito! Benza-o Deus!

Turistas chegavam de todos os cantos do mundo à capital do império, admirando-se da suntuosidade do palácio e da beleza dos jardins do imperador. Aqueles que tinham a oportunidade de escutar o rouxinol, porém, não tinham dúvidas: de todas as maravilhas do império, aquela era a maior. Quando regressavam a suas terras, escreviam livros e livros sobre aquele país, descrevendo o palácio e elogiando os jardins, e nunca se esqueciam de mencionar o rouxinol. Ao contrário, costumavam falar dele já no primeiro capítulo do seu livro! E quando o viajante era poeta, que belos sonetos e que longos poemas dedicava à ave de doce cantar, que vivia na floresta, à beira do mar azul e profundo.

Esses livros eram lidos por todo o mundo. Um dia, alguém lembrou-se de dar um deles de presente ao imperador. Curioso de conhecer a opinião dos estrangeiros sobre seu país, ele sentou-se em seu trono de ouro e começou a ler o volume. De vez em quando, sacudia a cabeça satisfeito, ao deparar com os elogios feitos à beleza de sua capital, à suntuosidade de seu palácio e à magnificência de seus jardins. De repente, recuou assustado, ao ler a frase que dizia:

"A maior de todas as maravilhas, contudo, é o canto do rouxinol."

— Quê? — espantou-se. — Que rouxinol é esse? Nunca ouvi falar dele! E essa ave vive aqui, no meu próprio jardim! Só mesmo lendo livros é que se toma conhecimento desse tipo de coisas!

O imperador mandou chamar seu cortesão-mor, personagem tão nobre que, quando alguém de categoria inferior ousava dirigir-lhe uma pergunta, ele apenas respondia "P!", o que equivalia nada responder, visto que "P!" nada significava.

— Ouvi dizer que a coisa mais maravilhosa existente em meu reino — disse-lhe o imperador — é um pássaro extraordinário chamado rouxinol. Por que nunca me falaram dele?

O cortesão-mor bem que gostaria de responder apenas "P!", mas ai dele se agisse assim com o imperador! Portanto, depois de pensar um pouco, disse:

— Nunca ouvi falar desse pássaro. Ele nunca foi apresentado à corte.

— Pois ordeno que ele esteja aqui no palácio hoje à noite. Quero escutar seu canto — disse o imperador. — Todo o mundo sabe de sua existência, e eu mesmo nunca o vi.

— A mim também jamais falaram sobre esse tal de rouxinol — concordou o cortesão-mor, inclinando-se respeitosamente —, mas Vossa Majestade pode estar certo de que haverei de encontrá-lo e trazê-lo até aqui.

Só que uma coisa é prometer, e outra bem diferente cumprir o prometido. Ele correu todo o palácio, subiu e desceu escadas, atravessou galerias e corredores, indagou de todos quanto encontrava, mas ninguém tinha ouvido falar do rouxinol. Voltando à presença do imperador, assegurou que toda aquela história não passava de uma fábula, inventada pelos escritores de livros.

— Vossa Majestade não deve acreditar em tudo o que se escreve. Muita coisa escrita não passa de ficção, de imaginação artística, de invencionice.

— O livro que acabo de ler — replicou o imperador — foi-me presenteado pelo imperador do Japão. Não creio que ele fosse dar-me alguma coisa falsa e inverídica. Portanto, o rouxinol existe, e eu quero escutar seu canto! E hoje à noite, sem falta! Se ele aqui não estiver, todos os cortesãos levarão um bom soco na barriga, logo depois que tiverem comido!

— Tsingpe! — disse o cortesão-mor, voltando a percorrer o palácio para cima e para baixo, agora acompanhado por metade da corte, já que ninguém gostou daquela ideia de levar um soco na barriga.

Continuaram as perguntas sobre o rouxinol, sempre seguidas da mesma resposta: ninguém da corte jamais ouvira falar naquela ave. Por fim, alguém se lembrou de pedir informações ao pessoal da cozinha. Uma criada jovem, que cuidava de arear panelas e frigideiras, ao ser indagada sobre o pássaro, respondeu:

— Claro que conheço o rouxinol! Como canta bonito! Costumo vê-lo à noite, quando vou levar as sobras de comida para minha mãe doente, que mora à beira do mar. Como é muito longe, costumo cortar caminho seguindo através da floresta. É lá que escuto o canto do rouxinol. Só duas coisas no mundo me fazem chorar: os beijos que minha mãe me dá e o som mavioso daquele canto.

— Minha pequena areadora de panelas — disse o cortesão-mor, sob o olhar espantado de todos, ao vê-lo dirigir-se a uma pessoa de qualidade tão inferior —, você será promovida a copeira do palácio, além de receber permissão para assistir às refeições do imperador, se nos levar até esse rouxinol, que está convocado para apresentar-se aqui esta noite!

No mesmo instante a criada rumou para a floresta, acompanhada por metade da corte. No caminho, escutaram uma vaca a mugir.

— Oh! — exclamaram os cortesãos. — É ele, sem dúvida! Como pode um animalzinho tão pequeno ter uma voz assim tão poderosa! Parece-me já ter ouvido esse canto antes...

— Não, senhores, isso é apenas o mugido de uma vaca. Ainda falta muito para chegarmos até onde mora o rouxinol.

Continuaram a caminhar. Quando passaram perto de uma lagoa, escutaram o coaxar das rãs.

— Oh, divino! Encantador! — exclamou o deão imperial. — Lembra-me o badalar dos sinos!

— Mas não é o canto do rouxinol, senhor — explicou a criada —, é o coaxar das rãs. Tenham paciência, que em breve iremos escutá-lo.

Pouco depois, o rouxinol começou a cantar.

— É ele! — exclamou a jovem. — Desta vez, é ele! Ouçam! Lá está ele, naquele galho de árvore!

Todos olharam para onde ela apontava, e viram um pequeno pássaro cinzento, em meio às folhas verdes.

— Será possível? — estranhou o cortesão-mor. — Um passarinho comum, sem nada de especial... Não pensei que sua aparência fosse essa... Por certo ficou tão intimidado ao ver tanta gente nobre de uma só vez, que até perdeu suas cores...

— Rouxinolzinho querido — disse a criada —, nosso imperador deseja escutar teu canto!

— Com todo o prazer — respondeu o rouxinol, pondo-se a cantar maviosamente!

— Que beleza! — exclamou o cortesão-mor. — É como se houvesse campainhas de cristal nessa gargantinha minúscula! Vejam como ela vibra! É estranho que nunca o tenhamos escutado antes. Vamos levá-lo para a corte: vai ser um sucesso!

— Vossa Majestade deseja escutar outra execução? — perguntou o rouxinol, imaginando que o imperador estivesse entre os componentes da comitiva.

— Honorável rouxinol — falou o cortesão-mor, em tom de discurso —, tenho o prazer de convidar-vos a comparecer hoje à noite ao palácio, a fim de que exibais vossa arte canora para deleite de Sua Imperial Majestade, o Imperador da China!

— Meu canto soa melhor em meio ao verdor da mata — retrucou o rouxinol.

Entretanto, ao saber que o imperador insistia em ter sua presença no palácio, seguiu para lá juntamente com a comitiva.

Ali, todos os aposentos tinham sido lavados e polidos, e milhares de pequenas lâmpadas douradas refletiam suas luzes nas paredes e no chão de porcelana. Os corredores tinham sido enfeitados com as mais lindas flores dos jardins, aquelas que tinham campainhas de prata para anunciar sua presença. O vento deslocado pelo vaivém dos criados, andando de lá para cá, abrindo e fechando portas, fazia com que essas campainhas soassem sem parar, numa zoeira infernal. Ninguém podia entender o que outra pessoa estava dizendo.

No grande salão dos banquetes, para onde tinha sido levado o trono do imperador, fora pendurado um pequeno poleiro de ouro, destinado ao rouxinol. Ali esta toda a corte, inclusive a jovem criada, agora promovida a Copeira Imperial, e a quem tinha sido permitido ficar de pé junto de uma das portas do salão. Todos vestiam suas melhores roupas e tinham os olhos fixos no pequeno pássaro cinzento, ao qual o imperador destinou um cumprimento de cabeça.

O canto do rouxinol foi tão suave, que os olhos do imperador se encheram de lágrimas. O pássaro então redobrou o sentimento, e as lágrimas começaram a descer-lhe copiosamente pelas bochechas abaixo. Aquele canto, de fato, tocava o coração. O imperador ficou tão comovido, que tirou do pé seu chinelo de ouro, mandando que o pendurassem no pescoço do rouxinol. Não havia honraria maior em toda a China. Mas o pássaro agradeceu, recusando a homenagem e afirmando que as lágrimas do imperador tinham sido a maior recompensa que ele poderia almejar.

— As lágrimas de Vossa Majestade são mais preciosas para mim que um tesouro. Eu é que estou agradecido por elas; por isto, dedicarei a todos mais uma de minhas canções.

E pôs-se a trinar novamente, deixando toda a corte embevecida.

— Esta foi a canção mais encantadora que já ouvimos até hoje! — exclamaram as damas da corte.

E daí em diante adotaram o costume de encher a boca de água e gargarejarem sempre que alguém lhes perguntasse alguma coisa. Pensavam que desse modo estariam imitando os trinados do rouxinol.

Até mesmo as camareiras e os lacaios ficaram felizes e satisfeitos, o que não deixa de causar espanto, pois os empregados são as pessoas mais difíceis de agradar. É, o rouxinol fez efetivamente um tremendo sucesso.

Deram-lhe uma gaiola particular no palácio, concedendo-lhe a permissão de sair a passeio duas vezes ao dia e uma à noite, sempre acompanhado por doze criados, cada qual segurando uma das doze fitinhas, que lhe foram atadas às perninhas. Passear assim não lhe causava prazer algum.

O pássaro maravilhoso era a única coisa que se comentava em toda a cidade. Até a maneira de cumprimentar foi modificada. Quando duas pessoas se encontravam, em vez de dizerem "bom dia", "boa noite" ou "como vai", saudavam-se assim:

— Rou?

— Xinol!

Aí suspiravam ambas e prosseguiam seu caminho, sem nada mais precisarem dizer.

Doze donos de mercearia deram a seus filhos o nome de Rouxinol, mas nenhum deles aprendeu a cantar.

Um dia, o imperador recebeu de presente um pacote, embrulhado em papel celofane. Do lado de fora estava escrito apenas "Rouxinol". Que seria?

— Deve ser outro livro elogiando nossa célebre ave — murmurou ele, enquanto abria o presente.

Enganou-se: era um rouxinol mecânico, construído à semelhança do verdadeiro, todo de ouro e de prata, cravejado de safiras, diamantes e rubis. Dando-se corda, o pequeno engenho tocava uma das canções que o rouxinol de verdade costumava cantar, enquanto sua cauda de penas de prata subia e descia, ao ritmo da música. Uma faixa pendia-lhe do pescoço, e nela estava escrito: "Este rouxinol, de qualidade inferior, é oferecido pelo Imperador do Japão a seu grande amigo, o Imperador da China".

— Que beleza! — exclamaram todos os cortesãos.

O mensageiro que trouxera o presente recebeu ali mesmo o título de Supremo Entregador Imperial de Rouxinóis.

— E se os dois rouxinóis cantassem juntos? Seria um lindo dueto — sugeriu alguém, sob aplausos gerais.

Puseram os dois cantando simultaneamente, mas não deu certo. O pássaro verdadeiro cantava à sua maneira, variando conforme sua emoção, enquanto o mecânico não se deixava tocar e empolgar pela música, já que não tinha coração, mas sim um cilindro móvel dentro do peito.

— Isso não é defeito — explicou o maestro imperial —, mas antes uma perfeição. Ele mantém constantes o tempo, o andamento, o ritmo, conforme recomendo em minha escola de música. Vamos ouvi-lo em solo.

Puseram o pássaro mecânico a cantar sozinho, e todos concordaram em que ele cantava tão divinamente como o rouxinol de verdade. Além disso, afirmavam, era muito mais agradável de se ver, com seu corpo de ouro e prata, cravejado de pedras preciosas: uma verdadeira joia!

O rouxinol mecânico executou trinta e três vezes seguidas a mesma peça, sem se cansar. A corte teria escutado com prazer sua trigésima quarta execução, não fosse o imperador ordenar que gostaria de ouvir em seguida o rouxinol de verdade. Aí todos se deram conta de que a ave tinha desaparecido. Para onde fora? Ninguém sabia. O rouxinol, aproveitando que a janela estava aberta, tinha fugido, voltando para sua querida floresta verde.

— Como pôde fazer uma coisa dessas comigo? — zangou-se o imperador.

Toda a corte franziu o cenho, recriminando a atitude do rouxinol e dizendo que ele não passava de uma criatura muito ingrata.

— Mas não vai fazer falta — comentou um dos cortesãos. — O melhor cantor ficou aqui conosco!

Escutaram então, mais uma vez, a canção do pássaro mecânico. Ninguém ainda havia conseguido aprendê-la, porque era muito complicada, embora fosse a única que ele soubesse. O maestro imperial derramou-se em elogios ao pássaro, declarando que ele era melhor que o rouxinol de verdade, tanto por fora como por dentro.

— Notai, senhores — disse ele, dirigindo-se aos assistentes —, que o rouxinol de carne e osso é um músico imprevisível. Não é possível antecipar o que ele vai cantar; tudo depende de sua emoção momentânea. Já este outro, não: sabemos exatamente qual será a próxima nota que ele vai emitir. Não há surpresas, não há caprichos; tudo está determinado e bem concatenado nessas rodinhas e nesse cilindro, que pode ser aberto, desmontado e estudado, e depois montado de novo na mesma posição, a fim de que ele tudo repita de maneira precisa e perfeita.

— É isso mesmo! Apoiado! — disse a corte em coro.

O imperador ordenou então ao maestro imperial que mostrasse o rouxinol mecânico ao povo, no sábado seguinte. Queria que todos os seus súditos desfrutassem do prazer de escutá-lo. E assim foi feito. Oh, como os chineses apreciaram! Como se deliciaram com aquela maravilha! Sentiram-se tão felizes como se estivessem tomando chá. Para demonstrar sua satisfação, inclinavam a cabeça sem parar, apontando com os mindinhos para o céu e dizendo: "Oh!"

O único que não se mostrava inteiramente entusiasmado com a exibição foi aquele pescador que costumava ouvir o rouxinol todas as noites. Num dado momento, ele murmurou para si mesmo:

— Sim, ele canta bonito. Parece mesmo com o canto do rouxinol. Mas falta alguma coisa... só que não sei o que é...

O imperador assinou um decreto banindo o rouxinol verdadeiro do império.

O pássaro mecânico foi colocado numa almofada de seda junto à cabeceira da cama do imperador. Os presentes que passou a receber formavam uma pilha, e entre eles havia até barras de ouro e pedras preciosas. Foi-lhe conferido o título de Supremo Cantor Imperial da Cabeceira da Cama, Grau nº Um, do Lado Esquerdo. Esse detalhe do lado esquerdo era muito importante, pois é desse lado que fica o coração, até mesmo no peito de um imperador.

O maestro imperial escreveu um "Estudo Completo sobre a Arte do Rouxinol Artificial", em vinte e cinco volumes, usando palavras complicadíssimas, que ninguém conseguia entender. Mesmo assim, todos compraram a obra e diziam que era excelente, pois do contrário seriam considerados ignorantes, podendo até mesmo ser condenados a levar uns bons socos na barriga.

Passou-se um ano. O imperador, a corte e todo o povo chinês sabiam de cor a canção do Supremo Cantor Imperial da Cabeceira da Cama, o que mais aumentou seu prestígio. Desde os meninos de rua, até o imperador, todos não paravam de trautear e assoviar aquela canção: "tuí-titititi, tituriturí" — a satisfação era geral.

Certa noite, porém, quando o rouxinol estava na melhor parte de sua execução, e o imperador se deliciava em escutá-lo, deitado em seu leito, ouviu-se dentro dele um "tlec!", e de repente a canção cessou. O mecanismo estava quebrado, e o pássaro inteiramente mudo.

O imperador saltou da cama e mandou chamar o médico, que veio correndo, mas nada pôde fazer. Trouxeram então o relojoeiro do palácio, que desmontou o pássaro, limou aqui e ali, trocou algumas peças e acabou consertando precariamente o mecanismo, advertindo que os cilindros estavam gastos e não havia como repará-los. Seria preciso poupá-lo, evitando ao máximo fazê-lo cantar.

Aquilo foi uma verdadeira catástrofe! O pássaro só poderia funcionar uma vez por ano, e mesmo assim a parte final da música seria tocada com defeito. O maestro imperial pronunciou um discurso repleto de palavras difíceis, dizendo que uma canção magnífica como aquela só poderia ser corretamente apreciada se fosse ouvida apenas uma vez por ano; sendo assim, qualquer reclamação seria sem sentido. Isso resolveu o caso, e ninguém mais lamentou o ocorrido.

Cinco anos depois, sobreveio uma desgraça: o imperador adoeceu gravemente. Não havia cura para aquele mal, afirmaram os médicos. Assim, embora todos amassem o velho imperador, era necessário escolher outro, e foi o que se fez. O cortesão-mor velava dia e noite junto à cabeceira de sua cama. Quando saía às ruas e as pessoas o abordavam, querendo saber do estado do enfermo, ele as olhava de cima abaixo e respondia invariavelmente:

— P!

Pálido e frio, o imperador jazia imóvel em seu leito de ouro. Acreditando que sua morte era questão de dias, os cortesãos pararam de visitá-lo, procurando a todo custo acercar-se daquele que fora indicado para sucedê-lo no trono. Aproveitando a desordem que se instalara no palácio, os lacaios viviam pelas ruas, espalhando boatos, enquanto as camareiras se reuniam nos salões do palácio, tecendo intrigas e bebendo café. Enormes tapetes negros foram estendidos no chão, para abafar os passos, e desse modo o palácio vivia mergulhado em profundo silêncio. As cortinas de veludo preto estavam sempre cerradas, e só uma das janelas era mantida aberta. Por ela entrava o vento que fazia agitar as borlas douradas que puxavam os cortinados. E foi por ali que também entrou o luar, fazendo reluzir os diamantes engastados no pássaro mecânico e iluminando a face pálida e inerte do imperador, que ainda não havia morrido.

Sua respiração era difícil. Ele tinha a impressão de ter alguém sentado sobre o seu peito. Tentando ver quem seria, abriu os olhos: era a Morte quem ali estava sentada. Sem qualquer cerimônia, ela já estava usando a coroa imperial, empunhando o sabre dourado e trazendo ao pescoço a faixa do imperador. Entre as dobras do cortinado que rodeava seu leito, estranhos rostos apareceram. Alguns eram horrendos, assustadores, enquanto outros eram de fisionomia afável e gentil. Eram suas boas e más ações, praticadas até aquele instante. Ali estavam elas, contemplando-o e sorrindo, enquanto a Morte continuava oprimindo seu coração.

— Lembra-se de mim? — sussurrou uma daquelas carantonhas horrendas.

— E de nós? — perguntaram outras.

E todos puseram-se a descrever seus maus feitos do passado, fazendo-o suar frio, tomado de pavor.

— Não! Não me lembro disso! Não é verdade! — esbravejava o imperador. — Não quero escutar! Toquem música para encobrir esse falatório! Por favor — implorava sem que vivalma o escutasse —, façam soar o grande gongo imperial!

Mas os rostos medonhos continuaram a falar, enquanto a Morte, à maneira chinesa, inclinava a cabeça a cada nova acusação que escutava.

— Cante, rouxinol dourado! Cante! — suplicou o imperador. — Lembre-se dos presentes que lhe dei. Lembre-se das barras de ouro e das pedras preciosas! Fui eu que, com minhas próprias mãos, coloquei meu chinelo de ouro em seu pescoço! Vamos, cante para mim!

Mas o rouxinol mecânico continuou mudo, já que não havia ali quem quer que lhe desse corda.

E a Morte continuava a fitá-lo, de dentro das órbitas vazias de seu crânio, enquanto o palácio continuava silencioso, pavorosamente silencioso.

Súbito, uma canção maravilhosa soou, quebrando o silêncio. Era o rouxinol verdadeiro, que para lá se dirigira, depois de escutar a notícia da enfermidade grave do imperador. Pousado num galho de árvore quase encostado à janela, cantava para trazer-lhe conforto e esperança. À medida que seu canto prosseguia, os rostos entre as dobras do cortinado foram-se desvanecendo, enquanto o sangue do imperador voltava a pulsar cada vez mais forte em suas veias. A própria Morte encantou-se com aquela música maviosa, e pediu:

— Cante outra, pequeno rouxinol!

— Canto outra se você me der o sabre dourado.

Ela concordou; depois ele cantou outra em troca da faixa imperial e outra em troca da coroa do imperador. Nessa canção, falou do calmo cemitério atrás da igreja, onde crescem rosas brancas, onde as folhas do sabugueiro espalham seu perfume no ar, onde a relva é sempre regada pelas lágrimas dos que ali vão visitar seus entes queridos. A Morte estava com saudades daquele lugar tão aprazível; assim, quando ouviu falar nele, saiu voando pela janela, sob a forma de uma névoa esbranquiçada e fria.

— Obrigado, rouxinol; foram os céus que te mandaram aqui! — sussurrou o imperador. — Foste banido por mim desta terra, mas mesmo assim voltaste para espantar os fantasmas que me atormentavam e afugentar a Morte que já me viera buscar. Como poderei recompensar-te?

— Vossa Majestade já me recompensou. Nunca me esquecerei das lágrimas com que me presenteou, da primeira vez em que me ouviu cantar. Para mim, que tenho coração de poeta, cada lágrima daquelas era uma joia que se derramava de seus olhos, em minha homenagem. Agora durma, para recuperar as forças. Cantarei uma música suave, para chamar o sono.

E o pequeno pássaro cinzento entoou uma canção doce e terna, fazendo o imperador mergulhar num sono tranquilo e agradável.

O sol brilhava lá fora quando ele acordou, sentindo-se são e bem-disposto. Julgando-o já morto, nenhum criado ali apareceu. Mas o rouxinol lá estava, e o saudou com uma canção.

— Venha sempre aqui, rouxinol — pediu o imperador. — Fique comigo e cante apenas quando lhe der vontade. Quanto a esse pássaro mecânico, vou quebrá-lo já e já, em mil pedacinhos!

— Não faça isso! — protestou o rouxinol. — Que culpa tem ele? É um engenho maravilhoso, e ainda não perdeu de todo a sua utilidade. Conserve-o, pois. Quanto a mim, não me acostumarei a viver num palácio. Meu lar é a floresta. Virei visitar Vossa Majestade sempre que puder. Ficarei lá fora, pousado naquele galho de árvore próximo à janela, entoando canções que haverão de lhe trazer alegria e reflexão. Sim, nem sempre serão canções brejeiras e alegres; algumas serão tristes e sentimentais. Nessas canções, mostrarei o bem e o mal que rodeiam Vossa Majestade, mas que nem sempre são fáceis de ser enxergados. Sou uma ave, voo para todos os lados, conheço muitos lugares e muita gente. Visito as cabanas dos pescadores e as choupanas dos camponeses, bem distantes e diferentes das mansões dos nobres e deste palácio imperial. Sei que essa coroa que Vossa Majestade usa lhe confere autoridade e poder; por isso, inclino-me ante ela e lhe dedico meu respeito, mas não meu amor, pois este eu dedico ao seu coração. Sim, Majestade, virei visitá-lo, virei cantar para alegrar seu coração. Mas quero que me prometa uma coisa.

— Prometo tantas quantas você quiser — respondeu o imperador, enquanto se vestia e embainhava o sabre dourado, segurando-lhe o cabo à altura do coração.

— Não conte a pessoa alguma que as coisas que fica sabendo lhe são reveladas por um passarinho. Isso o fará sentir-se melhor.

Dizendo essas palavras, o rouxinol saiu voando e desapareceu.

Nesse momento, os criados entraram no aposento imperial, a fim de tomar as providências do enterro. Qual não foi sua surpresa quando viram o imperador parado de pé, como se estivesse a esperá-los, e quando este os saudou, dizendo simplesmente:

— Bom dia.

Uma Folha Caída do Céu

Alto, bem alto, onde o ar é leve e rarefeito, voava um anjo, levando nas mão uma flor colhida no Paraíso. Num momento em que inclinou a cabeça para beijar a flor, uma folhinha desprendeu-se da haste e caiu sobre a terra, no meio de uma floresta. Encontrando solo fértil, deitou raízes e começou a crescer em meio a tantas outras plantas verdes. Notando seu aspecto diferente, os outros vegetais comentaram entre si:

— Que plantinha mais engraçada! De onde será que veio?

Nenhum deles, porém, quis fazer amizade com a plantinha, nem mesmo a urtiga ou o cardo.

— Pelo jeito, deve ser alguma planta de jardim — cochicharam entre si, dando gargalhadas.

Certamente pensaram que ela ficaria envergonhada se escutasse aquilo. Pode ser que sim, pode ser que não; o fato é que ela continuou crescendo e espalhando seus ramos pelo ar.

— Aonde pensa que vai? — perguntou-lhe um dia o cardo, que se erguia orgulhoso, ostentando um espinho na ponta de cada uma de suas folhas. — Que negócio é esse de crescer para os lados? O correto é para cima, ora! Acha que teremos obrigação de amparar e sustentar seus ramos?

Com a chegada do inverno, o mundo embranqueceu. A neve cobriu a plantinha que veio do céu, tornando-se brilhante e cintilante como se houvesse raios de sol debaixo dela. Quando teve início a primavera, a plantinha desabrochou, e suas flores eram mais bonitas que qualquer outra da floresta.

Passou por ali um professor de Botânica. Era um perito no assunto, e podia prová-lo, exibindo diversos certificados e diplomas. Ao deparar com aquela planta, deteve-se, examinou-a atentamente; depois arrancou uma de suas folhas, mastigou-a, franziu a testa e declarou solenemente:

— Esta planta não está catalogada em nenhum livro de Botânica! É impossível determinar sequer a qual família ela pertence!

Depois de um pigarro, concluiu:

— Trata-se de uma subespécie, provavelmente, mas que ainda não foi estudada, nem descrita, nem classificada.

— Nem descrita, nem classificada! — exclamaram os cardos e urtigas.

As árvores altas que cresciam ao redor escutaram tudo, sem nada dizer. Era evidente que a plantinha não pertencia a nenhuma de suas famílias. Por outro lado, que comentário poderiam fazer, se nada sabiam a favor ou contra aquela plantinha? Assim, mantiveram-se caladas, atitude mais prudente que se pode tomar, quando nada se sabe acerca de um assunto.

Passou por ali uma garotinha doce e inocente, tão pobrezinha, que a única coisa que possuía era a Bíblia que trazia nas mãos. Era de suas páginas que recolhera a lição ministrada pelo próprio Deus: "Se alguém quiser prejudicar-te, lembra-te da história de José do Egito, e de como Eu transformei em benefício o mal que lhe queriam fazer." Nelas lera também a frase proferida pelo Salvador, no momento em que era pregado na Cruz e escutava as zombarias e gracejos de seus algozes: "Pai, perdoai-os, porque não sabem o que fazem".

Vendo aquela planta diferente, parou para observá-la. Suas folhas verdes desprendiam uma fragrância doce e refrescante. Flores multicoloridas brotavam de seus ramos, refletindo a luz do sol, como se fosse um espetáculo de fogos de artifício. A menina ficou extasiada ante aquela beleza celestial. Com respeito, aproximou o rosto da planta, a fim de admirar melhor suas flores e sentir seu doce aroma. Pensou em colher uma flor, mas desistiu da ideia, preferindo deixá-la ali mesmo, linda e viçosa como só na planta poderia permanecer. Em vez disso, arrancou uma folhinha que crescia solitária num galhinho, colocando-a entre as páginas de sua Bíblia. E ela ali permaneceu, sem jamais murchar, mantendo-se sempre verde e tenra como no dia em que foi colhida.

Encerrada entre as páginas da Bíblia, ali ficou a folha; encerrada no fundo do chão, logo depois ficou a Bíblia, pois a menina morreu, e o livro foi posto sob sua cabeça, como se fosse um travesseiro. A expressão solene da Morte espalhou-se sobre seu semblante, como se a argila de que somos feitos quisesse mostrar que tinha voltado às mãos de seu Criador.

No meio da floresta, a planta estranha e maravilhosa continuava a crescer, tornando-se alta como uma árvore. As aves migratórias demonstravam grande respeito por ela, especialmente as cegonhas e as andorinhas, que sempre inclinavam a cabeça ao avistá-la.

— Essas estrangeiras... — comentavam os cardos e urtigas com azedume.

— Onde já se viu tamanha idiotice? Nós, que nascemos aqui, jamais procedemos desse modo!

As lesmas negras que viviam na floresta deixaram seu rastro viscoso na planta, que agora já não era pequena.

Um sujeito que criava porcos veio à floresta, em busca de alimento para seus leitões. Colheu urtigas e cardos, e, vendo a maravilhosa planta que viera do céu, arrancou-a também, com raiz e tudo. "Pode ser que os bichinhos gostem disso aí", pensou.

O rei que governava aquela terra estava sofrendo de profunda melancolia. Era tal a tristeza que o dominava, que nem mesmo o trabalho conseguia fazer com que ele se distraísse. Tudo foi tentado para levantar-lhe o moral: leram em voz alta livros sérios e profundos, depois obras mais leves e humorísticas, mas em vão. Por fim, chegou-lhe às mãos uma carta, remetida por um dos homens mais sábios do reino, ao qual ele havia recorrido, expondo seu problema. Dizia ele na carta que havia um remédio eficaz para curar o rei de sua aflição:

"Trata-se, Majestade, de uma planta que cresce aqui mesmo no reino. Suas folhas são... (assim, assim) e suas flores são... (assim, assado). É fácil reconhecê-la (seguia-se um desenho da planta). O vegetal mantém-se verde, tanto no verão como no inverno. Arranque uma folhinha dele noite após noite e aplique-a sobre a testa antes de ir dormir. Verá como a melancolia aos poucos desaparecerá. Doces sonhos haverão de povoar a mente de Vossa Majestade durante o sono, aliviando o peso de sua aflição e conferindo-lhe forças para enfrentar as lides do dia seguinte.

Todos os médicos do reino, além daquele professor de Botânica, logo reconheceram a qual planta se referia o sábio conselheiro. Saíram imediatamente para a floresta, rumando para o lugar onde a haviam visto. Ali chegando, nada! Onde estaria a planta maravilhosa? Pergunta daqui, pergunta dali, indagaram do criador de porcos, que baixou a cabeça, envergonhado, confessando:

— Ih, aquela planta esquisita? Ai, ai, ai — arranquei-a, tempos atrás, para dar de comer aos meus leitões! Os senhores vão me desculpar... Eu não sabia quanto ela valia...

— Não sabia quanto valia! Pois você vale tanto quanto sabe, isso é, nada! — vociferaram os médicos e o professor. — Santa ignorância! Como pode alguém ser tão idiota assim?

O criador de porcos engoliu em seco, achando que a repreensão era só para ele, no que fez muito bem, pois era mesmo.

Não se pôde encontrar nem mesmo uma folhinha perdida. Entretanto, havia uma: a que a menina tinha guardado dentro das páginas de sua Bíblia, e que agora jazia enterrada sob sete palmos. Mas, disso, ninguém tinha conhecimento.

Desesperado, o rei em pessoa fez questão de seguir com uma comitiva até a floresta, a fim de contemplar o local onde a planta outrora tinha crescido.

— De hoje em diante — declarou —, este lugar é considerado sagrado!

Um gradil de ouro foi erigido naquele pequeno trecho da floresta, assinalando o local onde estivera a planta caída do céu. Uma sentinela passou a montar guarda ali, dia e noite.

O professor de Botânica redigiu um artigo científico a respeito do magnífico vegetal, e por causa disso recebeu como condecoração uma medalha de ouro, da qual nunca mais se separou, legando-a em testamento a seus descendentes. E essa é a parte alegre desta história, já que a planta desapareceu mesmo, e o rei continuou mergulhado em sua melancolia, tristonho e deprimido.

— Não há por que reclamar — filosofou a sentinela. — Ele sempre foi assim mesmo...

**CONFIRA NOSSOS
LANÇAMENTOS AQUI!**

Camelot
EDITORA

CamelotEditora